El Trovador

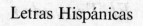

Letras Hispánicas

Antonio García Gutiérrez

El Trovador

Edición de Carlos Ruiz Silva

TERCERA EDICIÓN

CÁTEDRA

LETRAS HISPÁNICAS

© Ediciones Cátedra, S. A., 1994
Juan Ignacio Luca de Tena, 15. 28027 Madrid
Depósito legal: M. 32.976-1994
ISBN: 84-376-0529-6
Printed in Spain
Impreso en Gráficas Rogar, S. A.
Fuenlabrada (Madrid)

Índice

INTRODUCCIÓN

Antonio García Gutiérrez.. 11
La obra dramática de García Gutiérrez 21
El triunfal estreno de *El Trovador*.................................... 49
El Trovador y el teatro de su tiempo 59
Estructura y temas.. 65
Personajes y estilo.. 75
Versificación de la versión original....................................... 80
Versificación de la versión en verso 86
Los hijos del tío Troneca parodia de *El Trovador*............ 87
El Trovador e *Il Trovatore* de Verdi................................. 89
El Trovador novela de Ramón Ortega y Frías............... 95
Esta edición 99

BIBLIOGRAFÍA 101

EL TROVADOR.. 107

Jornada Primera. El duelo.. 109
Jornada Segunda. El convento.. 127
Jornada Tercera. La gitana.. 143
Jornada Cuarta. La revelación 159
Jornada Quinta. El suplicio.. 175

Introducción

A María Jesús

Antonio García Gutiérrez, dibujo de Federico de Madrazo.

Antonio García Gutiérrez:
su vida y su tiempo

Cuando nace Antonio García Gutiérrez el 5 de julio de 1813 en Chiclana, provincia de Cádiz, hacía poco más de un año que se había sancionado la famosa Constitución liberal de 1812 y las guerras napoleónicas se hallaban en su tramo final. La vida de nuestro autor, que se extenderá hasta 1884, será testigo de numerosos acontecimientos sociales y políticos que influirán decisivamente en su comportamiento personal y en su obra creadora: la reacción absolutista de Fernando VII (1814), el pronunciamiento liberal de Riego (1820), los Cien mil hijos de San Luis (1823), con la correspondiente reimplantación ultra-absolutista del monarca y, sobre todo, la terrible conflictividad que habría de engendrar la abolición de la ley Sálica por Fernando VII y la subsiguiente entronización de Isabel II a la muerte de su padre (1833)[1].

---

[1] No existe ningún estudio completo sobre la biografía de Antonio García Gutiérrez. Son de utilidad, sin embargo, las noticias que se encuentran en los siguientes autores y obras: Antonio Ferrer del Río, *Galería de la literatura*, Madrid, 1846, págs. 253-270; Cayetano Rosell, *Autores dramáticos contemporáneos*, Madrid, 1881, vol. I, págs. 81-96 (la edición se debe a Pedro de Novo y Colson y cuenta con un prólogo de Antonio Cánovas del Castillo); Carlos Guaza y Gómez de Talavera, *Músicos, poetas y actores*, Madrid, 1844, págs. 116-145; Joaquín de Entrambasaguas, Prólogo a las *Poesías de Antonio García Gutiérrez*, Madrid, 1947, págs. XI-XXVII; Carmen Iranzo, *Antonio García Gutiérrez*, Boston, 1980, páginas 15-18.

Si consideramos que a principios del siglo XIX el 94 por 100 de la población española era analfabeta —cifra estremecedora— nos parece todavía más meritoria la actitud del padre de nuestro autor, un artesano de no muchos recursos, que además de empeñarse en que su hijo estudiase el bachillerato, se sacrificó para que fuese a la universidad. En la de Cádiz, García Gutiérrez siguió durante dos cursos la carrera de Medicina. Sus estudios se vieron interrumpidos por el decreto que en 1833 promulgó el siniestro Fernando VII y por el cual se cerraban las universidades. Por entonces ya el joven estudiante había comprendido que su vocación verdadera eran las letras y el teatro; como el centro de la vida literaria y teatral de España era Madrid, con un amigo y sin apenas recursos, en una decisión clave para su vida, emprendió el viaje hasta la Corte ¡a pie y en pleno mes de agosto! y llegó a la capital el 2 de septiembre, al filo de la muerte del rey, poco antes de que se celebrase, el 24 de octubre, la proclamación oficial de la nueva reina. Antonio Ferrer del Río, amigo personal del dramaturgo, lo describe así en esa jornada: «Un joven de pálido semblante, de anteojos y poblada melena, desaliñadamente vestido, y dotado de un alma accesible al enternecimiento y al entusiasmo, murmuraba mentalmente un soneto a la solemnidad que tenía eco en toda España; después lo trasladaba al papel sin cambiar un solo verso; por la tarde leía aquella improvisación en el Café de Levante donde concurría con frecuencia»[2].

El año de 1833 fue fundamental en la vida del poeta y en la de España. A los hechos ya señalados se unía otro mucho más grave: el infante don Carlos, hermano de Fernando VII no reconoce a su sobrina como reina y estalla la primera guerra carlista que habría de durar siete años (1833-1840) y a la que seguiría una segunda (1846-1849) y aún una tercera (1872-1876) con la consiguiente intervención de los militares en los asuntos políticos, cosa que, desgraciadamente, se convirtió en crónica y ha llegado hasta nuestros días. Estas sangrientas guerras civiles debieron

---

[2] Ferrer del Río, *Galería...*, págs. 253-254.

ejercer un soterrado influjo en el ánimo del dramaturgo pues una buena parte de sus obras, como luego veremos, tienen como trasfondo histórico una guerra civil[3].

En Madrid se integró enseguida en el mundillo literario, haciendo amistad con Larra, Espronceda y Ventura de la Vega e intentando estrenar una comedia titulada al parecer *Una noche de baile* —hoy perdida— que presentó al empresario Juan Grimaldi que lo era del Teatro de la Cruz y del Príncipe. Grimaldi no la aceptó pero, viendo posibilidades en el joven escritor, lo recomendó para que entrase como redactor en *La Revista Española* escribiendo luego para *El Cínife, La Abeja, Floresta Española* y *El Entreacto.* Además de seguir escribiendo versos, García Gutiérrez se dedicó denodadamente al estudio de la lengua francesa, entonces imprescindible para toda persona relacionada con las letras. Con ello nuestro autor pudo ponerse al día en las modas literarias, ya que todas las novedades procedían de Francia y, al mismo tiempo, conseguir algún dinero con las traducciones que empezó a llevar a cabo de dramas de Eugène Scribe, que se representaron en Madrid por aquellos años (*El vampiro,* 1834; *Batilde,* 1835; *El cuákero y la cómica,* 1836), actividad que continuaría en los años siguientes con otros de Dumas, Bourgeois y Mellesville[4].

En 1836 llegó la gran oportunidad de García Gutiérrez. El año anterior se había estrenado *Don Álvaro o la fuerza*

---

[3] Sobre este tema, véase mi artículo «Política y guerras civiles en la obra de García Gutiérrez», *Cuadernos Hispanoamericanos,* enero 1985, págs. 90-100.

[4] Además de las arriba mencionadas, García Gutiérrez tradujo y adaptó las siguientes obras francesas: en 1837 *La pandilla o la elección de un diputado,* de Scribe; en 1839 *Calígula* y *Don Juan de Mañara o La caída de un ángel,* ambas de Alejandro Dumas; en 1840 *Margarita de Borgoña* (en el original francés *La tour de Nesle),* también de Dumas; en 1843 *El hijo del emigrado* de A. Bourgeois, *La ópera y el sermón* de Laurencin y *El galán invisible* de Mellesville; en 1846 *La Saboyana o la gracia de Dios* de Gustave Lémoine. Existen además otro conjunto de adaptaciones hechas por García Gutiérrez y otros colaboradores en los que no se dice de qué obra o autor están tomadas. Probablemente se debía al interés del empresario y del editor para no tener que pagar derechos a los autores originales. Entre estas obras figuran *Dos a dos, Estela* y *Juan de Suavia,* ésta última en colaboración con Isidoro Gil.

del sino del duque de Rivas, celebrado como el gran acontecimiento de la temporada teatral, y en 1834 *La conjuración de Venecia* de Martínez de la Rosa que había sido favorablemente acogida. Las nuevas ideas triunfaban ya de manera inexorable: frente al predominio de la razón se alzaba ahora el del sentimiento, la sensibilidad, la pasión. Las normas del neoclasicismo se rompían en favor de una libertad expresiva que insuflaba nueva vida a unas estructuras ya caducas. El gusto por lo extraordinario, por el suceso escalofriante, por el desbordamiento de los cauces de la vida ordinaria había desplazado al «buen gusto», al «equilibrio», al «sentido común». El Romanticismo, de cuño liberal, se imponía de manera clara y a ello contribuyó de manera decisiva el regreso de los exiliados políticos que habían tenido que abandonar España ante la persecución fernandina y entre los que se encuentran nombres tan importantes para la Literatura Española de la época como el duque de Rivas y Martínez de la Rosa. A esto se unía el nuevo tono de la vida que había imprimido el triunfo de la revolución burguesa —es decir, el triunfo de las ideas contrarias a la perpetuación del Antiguo Régimen— y que se manifiesta en el comportamiento de una parte de la aristocracia, la burguesía y las clases medias ilustradas. Eran precisamente de estos estamentos de los que estaba formado el público que aclamó el estreno de *El Trovador* el 1 de marzo de 1836 y sobre el cual nos extenderemos más adelante.

El gran triunfo obtenido le permitió a García Gutiérrez lograr un puesto de redactor en *El eco del comercio* con un sueldo aceptable. Al año siguiente, 1837, estrenó *El Paje* consiguiendo un nuevo triunfo y a fines de ese año *El rey monje,* que fue acogida con menos entusiasmo. Sin embargo, los tiempos que siguieron fueron difíciles. Su drama lacrimógeno *Magdalena* (1837) fue rechazado y lo mismo sucedió con los dos siguientes: *El Bastardo* (1838) y *Samuel* (1839). Por fin, en 1840, logró que su obra *El encubierto de Valencia* subiese a las tablas obteniendo una buena acogida; según Ferrer del Río, los siguientes dramas de nuestro autor fueron escritos para saldar cuentas con su editor:

Zaida (1841), *El caballero leal* (1841), *El premio del vencedor* (1842), *Las bodas de doña Sancha* (1843) y *Gabriel* (1844) y de ellas sólo la primera llegó a representarse «con éxito desgraciado»[5]. Nada nos dice, sin embargo, de otros dramas escritos en esos mismos años como *Los desposorios de Inés* (1840), la agradable comedia *El caballero de industria* (1841) y *Empeños de una venganza* (1844). La obra más importante estrenada en el decenio 1840-50 es, sin duda, *Simón Bocanegra* (1843) con la que García Gutiérrez volvió a renovar sus pasados éxitos.

Al año siguiente, 1844, el dramaturgo, al parecer molesto por el ambiente teatral madrileño y por ciertos olvidos oficiales a la hora de las recompensas literarias, decidió marcharse a América —la América Española que acababa de independizarse de la metrópoli— donde habría de permanecer seis años[6]. Visitó Cuba y trabajó en La Habana como periodista pasando desde allí a Méjico, viviendo algún tiempo en Veracruz y Valladolid para establecerse finalmente en Mérida de Yucatán, ciudad en la que publicó varias obras. Durante estos años colaboró en diversas publicaciones mejicanas como *El Registro Yucatanero, El Repertorio Pintoresco* y *El Monitor Republicano,* dando a conocer algunos dramas: *La mujer valerosa* (1844), *Los alcaldes de Valladolid* (1844) y su segunda parte *El secreto del ahorcado* (1846). La primera de ellas, sobre doña María de Pacheco, viuda del jefe comunero Padilla, obtuvo en Méjico un extraordinario éxito. El decenio se completó con una obra singular y originalísima, *Los hijos del tío Tronera,* publicada en La Habana (1846), una especie de sainete esperpéntico que resulta ser una feroz parodia de *El Trovador.*

---

[5] Cfr. *op. cit.,* pág. 259. El tono de Ferrer del Río no es siempre laudatorio ni para con el autor ni para sus obras, pese a sus protestas de amistad y de proclamarlo «una de las más insignes celebridades de la escena española» (pág. 270).

[6] Aquí encontramos otro de los grandes acontecimientos que pudo vivir García Gutiérrez: la independencia de las colonias del imperio español, que en más de un sentido tuvo también características propias de una guerra civil. Comenzada en 1811 con la independencia de Paraguay, para 1825, en la que lo hace Bolivia, la inmensa mayoría de los territorios americanos eran ya independientes.

La producción escénica, pues, de nuestro autor en esos diez años arroja nada menos que catorce dramas, a los que hay que sumar un buen número de poemas reunidos, junto con otros, bajo el título de *Luz y Tinieblas* (1842) lo cual contradice obviamente la afirmación de Ferrer del Río de que García Gutiérrez tenía un carácter propenso a la desidia y al abandono[7].

En 1850, el dramaturgo regresó a Madrid publicando otras dos obras: las comedias *Afectos de odio y amor* (1850) y *Los Millonarios* (1851), además de una refundición en verso de *El Trovador* (1851) realizada para el Teatro Español. A partir de esta fecha su actividad se orientó también hacia la zarzuela, género en el que colaboró con algunos de los mejores compositores de su tiempo, como Emilio Arrieta y Francisco Asenjo Barbieri. Con el primero realizó en los años 50 *El Grumete* (1853), *La cacería real* (1853) y *Azón Visconti* (1858); con Barbieri *La espada de Bernardo* (1853) y *El robo de las sabinas* (1859).

En 1854 se producía la Revolución que encabezada por O'Donnell y Espartero, con el apoyo popular, daría origen al bienio progresista 1854-56. El liberal García Gutiérrez recibió un destino en el exranjero: el de Comisario de la Deuda Española, cargo que ocupó hasta 1858. Cuando regresó a España era ya una figura absolutamente consagrada que empezaba a recoger las glorias oficiales. En 1856 se le había concedido la distinción de Comendador de la Orden de Carlos III y en 1861 era elegido miembro de la Real Academia. En el decenio de los años 60, continuó, aunque aminorada, su actividad teatral llevando a la escena *Un duelo a muerte* (1860) que fue acogida favorablemente; en 1863 estrenó su comedia *Eclipse parcial* y al año siguiente alcanzó uno de los mayores triunfos de su vida con el estreno en el Teatro del Príncipe de *Venganza Catalana,* mientras que su obra predilecta, *Juan Lorenzo,* constituyó un rotundo fracaso cuando se dio a conocer en 1865.

García Gutiérrez prosiguió en estos años su colaboración con Emilio Arrieta dando a conocer las zarzuelas *Dos Co-*

---

[7] *Op. cit.,* pág. 254.

ronas (1861), *La tabernera de Londres* (1862), *La vuelta del corsario* (1863) y *El capitán negrero* (1865). Ninguna de ellas se representa hoy aunque sería interesante una investigación que permitiese valorar, según criterios actuales, su posible vigencia. En 1866 se le tributó un homenaje de carácter nacional publicando la Real Academia un volumen con una amplia selección de sus obras dramáticas.

La Revolución de 1868 conmovió a España hasta sus raíces. El dramaturgo, que había ingresado en el partido progresista en 1864, no permaneció pasivo ante los acontecimientos, escribiendo un himno, «¡Abajo los Borbones!», con música de Arrieta, que alcanzó en su día gran popularidad. El poema es literariamente de escaso valor pero es interesante por lo que supone de testimonio de un acontecimiento memorable, que revela cómo estaban los ánimos entonces. Es curioso cotejarlo con otro poema de nuestro autor, escrito treinta años atrás, en el que exalta a la recién coronada reina en quien tantas esperanzas se pusieron. Veamos unos fragmentos de ambos poemas:

«A la reina doña Isabel II»

¡Ven al trono español, niña inocente,
de libertad y unión precioso emblema!
Ven y coloca en tu tranquila frente
tu envidiada magnífica diadema.

«¡Abajo los Borbones!»

Triunfó el Borbón; y, ahora, por despedida deja
cadalsos, sangre, luto y la miseria en pos;
y aún hoy, en el destierro, de ingratitud se queja
la que sucumbe herida por el rigor de Dios.

Cuando en 1871, el general Prim colocó en el trono de España a don Amadeo de Saboya, García Gutiérrez escribió una vibrante «Oda al rey de España Amadeo I» en la que expresa su esperanza en el nuevo monarca y en que la paz vuelva al suelo español. El poema, no mejor que los anteriores, muestra de nuevo el talante político de su autor, que respondía al de los liberales de su tiempo, en unos momentos particularmente importantes de la historia de España. Las esperanzas apenas duraron. Al año siguiente estallaba la tercera guerra carlista y Don Amadeo abandonaba el trono poco después (febrero de 1873) para dejar paso a la breve Primera República; tras el golpe de estado del general Pavía (1874) se efectuaba la vuelta de los Borbones con la coronación de Alfonso XII. Comenzaba la época de la Restauración.

Apenas iniciada la Revolución de septiembre del 68, García Gutiérrez era nombrado cónsul en Bayona y un año más tarde pasaba a desempeñar el mismo cargo en Génova —precisamente el lugar en que se desarrollaba su *Simón Bocanegra*— donde permaneció hasta 1872, año en el que regresó a Madrid siendo nombrado director del Museo Arqueológico.

En medio de tantos acontecimientos, García Gutiérrez continuó su labor creadora en el teatro, si bien con menor intensidad. Algunas comedias ligeras como *Sendas opuestas* (1871), *Nobleza obliga* (1872) y *Crisálida y mariposa* (1872) primaron sobre los dramas históricos que habían dominado su carrera durante tantos años. El género, ya cansado, tuvo su postrera expresión con *Doña Urraca de Castilla* (1872) que fue acogida con discreción. Con otras dos comedias, *Un cuento de niños* (1877) y *Un grano de arena* (1880) finalizó la larga trayectoria teatral de García Gutiérrez. Y aún otro acontecimiento: el gran homenaje que se le tributó en 1880 con motivo de la reposición de *El Trovador* en el Teatro Español. Un testigo presencial lo evoca así:

> Al final del acto tercero de *El Trovador,* el ilustre poeta se presentó en las tablas. Un grito unánime le saludó y los hombres se pusieron en pie. Tres ovaciones dilatadas, inmensas, clamorosas, se sucedieron; la emoción era profunda. Los hombres contenían el llanto. Las mujeres no podían detenerlo y lloraban. El drama había desaparecido: la ovación era al hombre, era al poeta, era a España.
> ¿Y cómo ver a García Gutiérrez sin sentirse orgulloso de ser español y al propio tiempo inclinado a llorar?... Se adelantaba con pausadísima lentitud, severo y modesto,

vestido con oscuro gabán. Sus anteojos de cristales ahumados daban a su rostro, cubierto de blanca y despeinada barba, un indefinible sentimiento de resignación y tristeza. Sus brazos caían a plomo. Su cabeza inmóvil, sus facciones rígidas, no daban a entender la emoción; pero comprendíamos que tras de aquellos vidrios negros sus ojos lloraban[8].

En estos años finales de su vida García Gutiérrez gozó de escasa salud y sus achaques continuos apenas le permitían ya llevar una vida de trabajo normal, y casi nunca asistía a las sesiones de la Real Academia. Vivía, al parecer con modestia[9] en una casita con jardín, en las Ventas del Espíritu Santo, junto con su hija Elena, su yerno y sus nietos trasladándose luego a un piso de la calle Fuencarral. Tuvo un ataque cerebral, del que se recuperó parcialmente, pero el segundo, más fuerte, acabó con su vida el 26 de agosto de 1884. Sobre su entierro, que fue muy sonado, escribió el periodista Fernández Bremón una larga crónica de la que extraemos algunos fragmentos:

> El 27, a las cinco de la tarde, un carruaje fúnebre, tirado por cuatro caballos enlutados, se detenía ante la casa n.º 139 de la calle de Fuencarral: casi al mismo tiempo pasaban ante la misma casa el coche del Ministro de Fomento (...) una comisión de la Academia de la Lengua (...). El Ayuntamiento estaba representado por el Alcalde (...). Los que penetramos en la morada modesta del poeta pudimos ver en una alcoba escayolada y estrecha, de una ventana interior, un sencillo catafalco alumbrado por cuatro hachas, y sobre él una caja de zinc, pintada de negro, con adornos

---

[8] Carlos Guaza y Gómez de Talavera, *Músicos, poetas y actores,* Madrid, 1884, págs. 143-144. El libro, aunque irregular y mal construido, tiene interés por las noticias y datos que contiene, muchos de ellos de primera mano.

[9] Cfr. el interesante libro de Julio Nombela, *Retratos a la pluma,* Madrid, 1904, págs. 268-277. Nombela conoció personalmente al dramaturgo y mantuvo conversaciones con él para realizar su retrato. El que García Gutiérrez vivía con modestia, pese a sus éxitos y cargos oficiales, lo confirma la crónica de un periodista con motivo de su muerte, como veremos más adelante.

y agarraderos dorados, ya estañada; y mirando por el cristal de la tapa interna vimos la dulce y venerable cabeza del anciano, amarilleada por la muerte, y sus hermosos ojos cerrados por el amor filial y aquella barba blanca, que con la rigidez de la edad le daba el aspecto de una estatua (...). Siguió su marcha la comitiva, cada vez más acompañada de hombres ilustres (...) para detenerse en el Español donde esperaban, para unirse al duelo, el empresario del teatro y todos los actores residentes, que depositaron nuevas coronas en el féretro, mientras las actrices arrojaban flores desde los balcones enlutados (...) [10].

A la muerte de García Gutiérrez el panorama del teatro español no era muy brillante. De los dramaturgos de la generación siguiente a la suya, López de Ayala y Tamayo y Baus habían intentado una cierta renovación con sus ensayos en alta comedia, aunque ambos tenían en su haber varios dramas históricos. López de Ayala había muerto cinco años antes y Tamayo y Baus había escrito ya lo más importante de su producción. En cuanto a Echegaray, sus éxitos se extenderían hasta principios de siglo, pero su teatro, que en principio podría haber realizado una modernización del género, consistió en unos cuantos dramas inverosímiles pero de gran efectismo, hinchados y falsos que sólo el mal gusto del público llevó a considerarlos geniales. Habría que esperar hasta 1895 para que el drama social triunfase con el *Juan José* de Dicenta y se emprendiese una nueva fase con los dramaturgos que inician sus carreras por esos años: Benavente, Arniches y también Pérez Galdós. Pero en muchos sentidos eran bien ciertas las palabras que el periodista Fernández Bremón había escrito en el elogio fúnebre de García Gutiérrez cuando recordaba la ceremonia fúnebre en el comentario de San Lorenzo: «Habíamos visto enterrar algo más que un hombre: un teatro, un sistema literario, un maestro, una gloria del país» [11].

---

[10] El texto completo de esta crónica puede consultarse en la citada obra de Carlos Guaza y Gómez de Talavera, págs. 138-140.

[11] *Op. cit.,* pág. 140.

La obra dramática de García Gutiérrez

Como luego veremos, García Gutiérrez inició su carrera como autor teatral con el histórico acontecimiento que supuso, el 1 de marzo de 1836, la puesta en escena de *El Trovador*. De aquí hasta 1880, en que se estrenó la última de sus obras, *Un grano de arena,* la carrera del dramaturgo siguió una línea de creación teatral más o menos intensa pero ininterrumpida: fundamentalmente dramas históricos, pero también comedias de «época» o «modernas» a lo que hay que añadir sus obras en colaboración con otros autores —Zorrilla, Gil y Zárate, Isidoro Gil, Eduardo y Eusebio Asquerino—, los libros de un buen número de zarzuelas y las adaptaciones y traducciones de obras francesas de Dumas, Scribe, Lemoine y otros. En este apartado trataremos tan sólo de sus dramas originales.

Luego del éxito de *El Trovador,* García Gutiérrez dio a conocer al año siguiente *El Paje,* drama en cuatro jornadas, en prosa y verso, que se estrenó en el Teatro del Príncipe el 22 de mayo de 1837 editándose en Madrid, Imprenta de I. Sancha, ese mismo año. La acción de esta tragedia romántica se desarrolla en Córdoba y Sevilla en el siglo XIV —empieza exactamente el 20 de marzo de 1369 según aparece en la acotación— y tiene como trasfondo la recién acabada contienda civil entre Pedro I de Castilla y su medio hermano Enrique de Trastámara. *El Paje* escenifica la pasión del joven Fernando por su señora doña Elvira no saviendo que es su madre. La dama se sirve del paje para asesinar a su marido y poder casarse con su antiguo amor, don Rodrigo, padre de Fernando. Cuando el muchacho descubre el engaño se envenena. La obra está influida por *La tour de Nesle* (1832) de Dumas, que García Gutiérrez había traducido el año anterior con el título de *Margarita de Borgoña*[12], y en la que dos hermanos se enamoran de su

---

[12] Larra hizo en *El español* (5 octubre de 1836) una crítica a la representación de esta obra de la que alaba el interés de la intriga, su conoci-

21

madre que causará la muerte de ambos ignorando su origen[13]. También en la *Lucrecia Borgia* de Víctor Hugo, de 1833, encontramos una relación incestuosa entre la protagonista y su hijo que desconoce quién es su madre. Lo que más chocó al público de la época, y es fundamental en el tono morboso de la obra, fue el tema del incesto que era, y sigue siendo, uno de los mayores tabúes que se podían tratar en el teatro[14]. La obra tiene algunos momentos de excelente lirismo y el personaje de doña Blanca se aleja del típico de la heroína romántica que había trazado García Gutiérrez en *El Trovador:* es, sí, apasionada y capaz de llegar al sacrificio por su amor, consciente de su rango y de sus deberes de mujer casada, pero también es egoísta, astuta y dispuesta al crimen una vez decididos sus fines. Es una mujer sensible y atormentada, cínica y amorosa, es decir un carácter contradictorio, complejo y muy teatral. El resto de los personajes es menos interesante.

Magdalena es un drama en cinco actos, en prosa y verso, escrito en 1837 aunque no representado por cuestiones de censura; se publicó el mismo año en la imprenta de Repullés. La obra debió tener, sin embargo, éxito de lectores, pues en 1844 se hacía una nueva edición. Pertenece al género del drama lacrimógeno, con heroína hermosa y des-

miento del corazón humano y los efectos teatrales, censurando, sin embargo, sus numerosos excesos. Cfr. Larra, *Artículos,* Barcelona, 1964, páginas 1060-1065.

[13] Sobre el influjo de *La tour de Nesle* sobre *El Paje* véase el estudio de Nicholson Adams *The Romantic Dramas of García Gutiérrez,* Nueva York, 1922, págs. 106-115.

[14] Aunque el tema del incesto es tan viejo como el teatro, existe en el movimiento romántico un cierto regusto por todo lo prohibido, lo que va contra las normas establecidas, y ello se traduce en el tratamiento de ciertos temas considerados tabú. El incesto desempeña, por ejemplo, un papel importante en la *Lucrecia Borgia* (1833) de Víctor Hugo (convertida en excelente ópera por Donizetti sólo un año más tarde), *Doña Mencía* (1838) de Hartzenbusch y *Alfredo* (1835) de Joaquín Francisco Pacheco. Russell P. Sebold dedica a este tema un interesante capítulo de su libro *Trayectoria del Romanticismo español,* Barcelona, 1983, págs. 109-136. De estos ejemplos el más próximo a *El paje* es sin duda *Lucrecia Borgia* cuyo desenlace, con veneno y puñal, es el mismo que en el drama de García Gutiérrez que, sin duda, conocía la obra de Hugo, además de la de Dumas.

dichada que, víctima de un amor engañoso, huye de su casa con una niña, fruto de su culpable pasión[15]. Para mayor enternecimiento, Magdalena, es pobre y huérfana y el señorito que la seduce un calavera que, lejos de cumplir como un hombre de bien, se casa con una marquesa. Al final, el hermano de la joven, que regresa de la guerra cubierto de honores, venga a Magdalena retando a duelo al seductor y matándolo. La acción del drama transcurre en Madrid durante los dos primeros actos (y no los tres como indica la acotación) y los otros tres en Guadalajara. Durante los dos primeros actos hay una cierta contención, pero el resto del drama se precipita por terrenos ternuristas, situaciones rebuscadas para producir lástima en el espectador ingenuo y una total falta de equilibrio. Por otro lado, la habitual habilidad del dramaturgo para la versificación se convierte, sobre todo en los últimos actos, en una vulgar facilidad para el verso lacrimógeno, como este romance en el que la desventurada protagonista «pobremente vestida», como señala la acotación, se dirige a su hija:

No llores, por Dios, mi vida;
hija, no llores, por Dios,
que tus sentidos lamentos
me parten el corazón.
No acuses así a tu madre,
que en hora triste te dio
esa vida mancillada
con mancha de deshonor.
Vida de llanto y miseria
que partiremos las dos,
tú inocente y desdichada,
torpe y desdichada yo.

---

[15] El género de la «comédie larmoyante» triunfó en Francia hacia mediados del siglo XVIII con la obra de Destouches (1680-1754) y sobre todo de Nivelle de La Chaussée (1629-1754) con dramas como *Mélenide* (1741) y *L'homme de fortune* (1751). Sobre la relación entre la comedia lacrimógena y el drama romántico español puede consultarse el libro de Joan Lynne Pataky Kosove *The «Comedia Lacrimosa» and Spanish Romantic Drama*, Londres, 1978. Desgraciadamente, nada dice de *Magdalena*.

¿Por qué naciste, hija mía,
para infelice padrón,
para continuo recuerdo
de mi desenvuelto amor?
No llores, por Dios, mi vida,
etc.

Leída a continuación de *El Paje, Magdalena* no es en absoluto un drama más inmoral ni atrevido. Por eso no deja de resultar curioso que la misma junta de censura que permitió la primera rechazase la segunda. Acaso influyó en la decisión el que mientras *El Paje* se situaba en el siglo XIV —quedaban muy lejanas aquellas terribles pasiones—, *Magdalena*, un drama burgués, era contemporáneo, y por tanto más peligroso.

El Bastardo, obra publicada en Madrid en 1838 —imprenta de los hijos de doña Catalina Piñuela— nos lleva a la Navarra del siglo XI durante el reinado de Sancho el Mayor. El drama gira en torno a la relación entre el citado monarca y dos de sus hijos: don García, el legítimo heredero de la corona, y don Ramiro, el bastardo. El escritor recogió una antigua leyenda —sin base histórica alguna— según la cual la reina doña Mayor (o Mencía) fue acusada de adulterio por su propio hijo, y sólo don Ramiro se atrevió a defenderla; celebrado un juicio de Dios, el bastardo venció en buena lid al infante, librando así a la reina de la hoguera; doña Mayor cubrió con su manto al héroe significando que lo tomaba como hijo, pudiendo de esta suerte don Ramiro ser considerado de rango real. *El Bastardo*, escrita en cinco actos y en verso, es una de las obras menos interesantes de nuestro dramaturgo; los personajes carecen de rasgos psicológicos distintivos y aun la versificación, siempre fácil en García Gutiérrez, aparece aquí menos cuidada y fluida que de ordinario. Tal vez fuese escrita con demasiada rapidez. Lo más aceptable del drama lo constituyen las intervenciones de la reina, su soliloquio del tercer acto (escena II) y la intervención en el juicio (acto IV, escena IV), que nos ofrece la imagen —muy cara al dramaturgo— de la mujer con sentimiento de culpa por un amor

24

que va contra las leyes establecidas, pero que también hace defensa de su honorabilidad. La obra no llegó a representarse, no por razones de censura, sino porque fue rechazada por los empresarios.

El rey monje es un drama en cinco actos y en verso basado en la leyenda de la campana de Huesca. La obra se estrenó en Madrid, Teatro del Príncipe, el 18 de diciembre de 1837, editándose en la capital —imprenta de Yenes— en 1839. La acción se inicia el día de las bodas de Alfonso el Batallador y Urraca de Castilla. Don Ramiro, hermano del monarca y monje benedictino, asiste a las bodas y se enamora de la hermosa Isabel, hija del noble don Ferríz. Soborna a la dueña y seduce a la joven ocultándole su nombre. Sorprendido por el padre, éste jura vengarse. Muerto el rey Alfonso, los dignatarios aragoneses ofrecen la corona a don Ramiro, que es ahora obispo de Roda. Don Ferríz, con otros nobles, promueve una revuelta que es sofocada sangrientamente por el rey. Cansado y enfermo, el monarca se retira a un monasterio donde, antes de morir, recibe la visita de Isabel a la que creía muerta por su causa y a la que siempre amó. *El rey monje* es una obra de no gran vigor dramático; la psicología de los personajes está elementalmente desarrollada y la versificación es tan fácil como poco profunda, no pudiendo hablarse de especial inspiración poética. A los típicos desbordamientos románticos —más de intención que de logro— se une un cierto influjo calderoniano, no sólo por el tema de la obra sino por el intento de García Gutiérrez de crear un protagonista conflictivo que se debate entre el amor, su estado eclesiástico, la tentación del poder y la meditación sobre el destino de la vida y la muerte. Estos versos, tomados de un monólogo de don Ramiro en el último acto me parecen muy reveladores:

La vida es sueño ilusorio
que a instantes huyendo va,
y ¿quién sabe si será
un infierno transitorio
que a otro infierno paso da?

¿Quién sabe si nuestra vida,
horriblemente agitada,
una gloria es sin medida,
a otra vida comparada
más triste, y que aún no es venida?

Ramiro II es presentado como un ser lleno de dudas pero
ambicioso, no especialmente atractivo y, desde luego, muy
alejado del arquetipo del héroe romántico. Sus momentos
más humanos los muestra en el añorado recuerdo de un
amor fugitivo y en el remordimiento por creer haber sido
causa de la muerte de su amante. Don Ferríz es el clásico
noble mancillado en su honor de padre y obsesionado por
la venganza, e Isabel la joven ingenua y hermosa sorpren-
dida en su buena fe. Poco aportan a la galería de figuras
del teatro español del siglo XIX. Pese a todo, *El rey monje,*
con ser un drama de valor más bien discreto, tiene algunos
rasgos de interés, como la escena de la campana de Huesca
en el acto IV y el súbito cambio que se produce en la opinión del pueblo a raíz de las ejecuciones[16].

El drama en cuatro actos, en prosa y verso, *Samuel,* vio
la luz en Madrid en 1839. No tengo noticia de que se haya
representado nunca y mucho me temo que no ofrezca de-
masiados alicientes para su futura puesta en escena. La obra

---

[16] En su *Julio César* nos presenta Shakespeare una situación semejan-
te. Una vez asesinado César, habla Bruto en el foro ante los ciudadanos
romanos y éstos lo aclaman y aprueban el asesinato considerando a César
como un ser ambicioso y dictatorial. Inmediatamente después toma la palabra Marco Antonio, quien lee el testamento de César y convence al pueblo de que los conjurados son unos traidores y aquél el mejor y más ge-
neroso de los hombres (acto III, escena II). Shakespeare, que tan bien conocía el corazón humano, acertó a plasmar genialmente el comportamiento de las masas —que cambian de parecer de manera harto rápida y pe-
ligrosa— con un agudo sentido teatral del que carecía García Gutiérrez,
aparte del diferente valor poético de sus respectivas palabras dramáticas.
Pero las situaciones pueden considerarse paralelas.
No han faltado críticos que sitúen a *El rey monje* entre lo mejor de
nuestro dramaturgo. Así Enrique Pyñeiro, quien señala que esta obra, crónica dramática más que drama, marca el cenit de su carrera, afirmando
que García Gutiérrez nunca superó la fluidez y espontaneidad de su forma. Cfr. *El Romanticismo en España,* Nueva York, 1936, pág. 103.

responde a algunos de los presupuestos dramáticos típicos de García Gutiérrez: una acción amorosa situada en la Edad Media en la que un suceso ocurrido años atrás de la fecha en la que comienza la acción es clave para entender el conflicto que se propone al posible espectador. *Samuel* se desarrolla, según la acotación, en el año 1278 en Sevilla y Écija. Ese año corresponde al reinado de Alfonso el Sabio pero el hecho histórico más importante al que se hace anacrónica alusión en el drama es a la posterior matanza de judíos que se desencadenó en Sevilla en 1391[17]. El título de la obra es bastante significativo acerca de su temática y, en efecto, *Samuel* es un drama de honor con protagonista judío: el viejo y rico Samuel está casado con la joven y bella Ester; por su parte, don Enrique de Vargas, un apuesto noble sevillano, está enamorado de la hermosa judía y es correspondido por ella. Don Enrique rapta a Ester, quien se debate entre el respeto que siente por su marido y la pasión que la arrastra a los brazos de don Enrique. Samuel vengará la afrenta matando al seductor y perdonando a su esposa. El drama no ofrece especial interés; ni los tres personajes principales tienen una individualidad destacable ni la calidad dramática o poética adquiere nunca una relevancia digna de mención. El tema de la venganza, tan caro a nuestro dramaturgo y eje fundamental de la obra, no llega a poseer el suficiente empuje como para interesarnos verdaderamente.

---

[17] García Gutiérrez no es más cuidadoso de lo habitual en los aspectos históricos de sus obras. En el siglo XIII hubo matanzas de judíos en Toledo (1212), Pamplona (1277), Gerona (1285) y Tierra de Campos (1295). En Sevilla se produjo una matanza en 1109 a cargo de los almohades, pero este desgraciado suceso no volvió a repetirse hasta 1391 en el que, además de en Sevilla, hubo persecución e intentos de exterminio de judíos en toda Andalucía. En la capital bética el 6 de junio de ese año, más de 4.000 judíos fueron pasados a cuchillo por una turba de fanáticos a cuyo frente se hallaba el arcediano de la catedral de Sevilla Ferrán Martínez, quedando reducidas a escombro las sinagogas y toda la judería. Véase el capítulo «Matanza general de los judíos en Castilla y Aragón» de la obra de José Amador de los Ríos *Historia social, política y religiosa de los judíos de España y Portugal,* Madrid, Aguilar, 1973, págs. 456-480.

Los desposorios de Inés es una complicada comedia de enredo en verso y tres actos que se desarrolla en Sevilla durante el siglo XVI. Bodas por interés, esposas abandonadas, mayordomos que resultan ser padres de sus señoritas, donjuanes castigados, hermanos vengadores de afrentas, equívocos, situaciones extremas y toda suerte de conflictos que, al final, se resuelven satisfactoriamente para todos. Lo más notorio de esta comedia, que recuerda por su intriga y situaciones a las de la Edad de Oro, es el extraordinario oficio teatral que se muestra, con sus entradas y salidas, secretos y coincidencias, sorpresas y efectos varios que ofrecen una ininterrumpida sesión de pequeños sucesos que mantienen la atención del lector si éste se presta al juego y acepta los convencionalismos del género. Brilla también, aunque sólo sea de manera intermitente, la vena poética del autor y no menos su encubierta ironía. *Los desposorios de Inés* se publicó en Madrid, Imprenta de Albert, en 1840.

El encubierto de Valencia vuelve a mostrarnos el esquema típico de los dramas de García Gutiérrez: una historia de amor y una venganza situados en un contexto histórico del pasado y con un secreto de cuna que afecta a uno de los protagonistas y que es clave en el desarrollo de la obra. De la Edad Media pasamos aquí al reinado de Carlos I y a las guerras de las Germanías valencianas. Don Enrique, personaje misterioso y de ignorada cuna, se pone al frente de las tropas de los sublevados valencianos que luchan contra el monarca[18]. Pero le guía su ambición personal más que el amor a la justicia; dice ser hijo del príncipe don Juan y de Margarita de Flandes y el verdadero heredero de la corona de los Reyes Católicos. Con las siniestras maniobras del marqués de Cenete[19], la patriótica honradez de Juan de

---

[18] García Gutiérrez se inspiró, de forma harto libre, en un extraño personaje, don Enrique Manrique de Lara, al que se conocía en Valencia como el «rei encobert» y que decía ser hijo del príncipe don Juan aunque nunca pudo probarlo. Aliado con las Germanías, que se habían alzado contra los abusos de la nobleza, fue derrotado y muerto, al parecer por sus propios seguidores, en 1523.

[19] El marqués de Cenete desempeñó un papel importante en el asunto de las Germanías actuando como mediador entre el poder oficial, a cuyo

Bilbao y el amor de su hija María, el dramaturgo realiza una tragedia que, si bien lejos de ser una obra maestra, tiene una intencionalidad política y un intento de retrato psicológico de un personaje que suponen un paso adelante en el teatro del autor. La dubitativa personalidad de don Enrique, sus traiciones, sus cambios de dirección según sopla el viento de las circunstancias políticas, constituye al menos un esfuerzo por humanizar, por dar al protagonista una vida dramática más rica. La obra, en cinco actos y en verso, se estrenó en Madrid, en el Teatro del Príncipe, el 17 de julio de 1840, publicándose ese mismo año en la capital de España en la imprenta de Yenes.

El caballero de industria es una comedia en tres actos y en verso que, si hemos de creer lo que nos dice Ferrer del Río, data de antes de 1833, pues la había escrito García Gutiérrez con anterioridad a su llegada a la villa y corte[20]. La obra se publicó en Madrid, imprenta de don Vicente de Lalama, en 1841. Un caballero de industria es «el hombre que con apariencia de caballero vive a costa ajena por medio de la estafa o del engaño». Y esto es lo que se escenifica en esta irónica comedia: don Facundo presume de título nobiliario, cosa que obceca al rico don Ceferino que le franquea las puertas de su casa; Facundo juega con las dos hijas del anfitrión, Adela y Filomena, consiguiendo, con falsas promesas, joyas y dinero de ambas. En medio, una criada lista y poco escrupulosa, un pretendiente viejo y ridículo y un primo de las jóvenes, que representa, más o menos, la voz de la lógica y la moderación. La sátira está desarrollada con bastante finura y algunos tipos alcanzan una indudable categoría cómica, como Filomena, con sus dengues bucólicos y sus melancolías sensibleras muy a la moda entre las muchachitas de buena familia de la época. García

mando estaban su hermano, el virrey Diego Hurtado de Mendoza, conde de Mélito y los sublevados, pero no llegó a lograr un acuerdo. Al fin, la nobleza, con ejércitos mercenarios, venció a los agermanados en 1523 y llevó a cabo una durísima represión. Sobre este mismo trasfondo histórico escribió nuestro autor otro drama, *Juan Lorenzo,* al que más tarde nos referiremos.

[20] Cfr. *Galería...,* pág. 256.

Gutiérrez ironiza sobre la educación de las jóvenes, el deseo desmedido y ridículo de un título, la pretensión de los viejos por casarse con mujeres mucho más jóvenes que ellos y, naturalmente, a los caballeros de industria que, al parecer, proliferaban por entonces.

El caballero leal es, de nuevo, un drama histórico de venganza con fondo de guerra civil. Escrito en tres actos y en verso, la acción se sitúa esta vez en el siglo XI, en Navarra, durante el reinado de don García. La trama gira en torno al adulterio del rey con doña Elvira, esposa del fiel capitán don Ortuño, a quien el soberano ha enviado al lugar de más peligro en la guerra contra los moros, con la secreta intención de que perezca[21]. Lo más interesante de *El caballero leal* es el tratamiento que García Gutiérrez hace del personaje femenino. Elvira responde, por una parte, al prototipo de la heroína romántica: es joven, hermosa y apasionada y tiene un alto concepto del amor y de su propia dignidad. Pero el dramaturgo matiza y enriquece al personaje haciéndole que se debata entre su amor y la ley. El amor de Elvira por el rey no está movido por la ambición sino por la pasión antigua que hacia él siente; por otra parte, Elvira no sólo desea permanecer fiel a su marido por respetar el vínculo matrimonial sino también porque admira el valor y la nobleza de Fortuño. En este cruce de conflictos sentimentales y sociales estriba la humanidad que se desprende del personaje, que es superior a sus oponentes masculinos trazados con menos finura. *El caballero leal* ofrece la acostumbrada facilidad versificadora de García Gutiérrez pero no alcanza nunca un alto vuelo poético ni posee rasgos dramáticos especialmente destacables. La obra fue editada por Repullés en 1841.

En *Zaida* insiste García Gutiérrez en el drama histórico en el que se entremezcla un trasfondo real y la inventiva del escritor, con niño que ignora su verdadera cuna. El drama consta de cuatro actos, está escrito en verso y fue pu-

---

[21] El hecho parece inspirado por la historia del rey David, quien enamorado de Betsabé envió a su marido, Urías, al lugar más peligroso del combate para que pereciese (*Samuel* II, 11).

blicado en Madrid, imprenta Repullés, en 1841. La acción tiene lugar en Toledo a finales del siglo XI y escenifica los amores del rey Alfonso VI con la mora Zaida. La intriga, siempre complicada en García Gutiérrez, se enreda con la rivalidad de Jimena, noble cristiana que aspira a ser esposa de Alfonso, el deseo de venganza de Pedro Ansúrez, a quien el rey ha matado un hijo en una reyerta, cambios de personalidad, luchas, conspiraciones y otros sucesos. Al final la inevitable sorpresa: se descubrirá que la protagonista, que creía ser hija del rey moro Benamet, es en realidad hija de Pedro Ansúrez y de una cristiana cautiva y su verdadero nombre no es Zaida sino Isabel[22]. Alfonso VI ya puede hacerla su esposa y todos aclaman a la nueva reina. En su conjunto, la obra es más bien sosa, con personajes bastante anodinos, versos poco inspirados y situaciones dramáticas de escaso fuste.

A *Zaida* siguió un nuevo drama medieval, aunque esta vez la acción se sitúa en Francia —el acto primero en lugar no especificado y en Santomer (Saint-Omer), en el norte del país, los actos segundo y tercero— y no aparecen personajes históricos reconocibles. Se trata de *El premio del vencedor,* obra en tres actos y en verso que fue editada en Madrid, imprenta de Yenes, en 1842. El título hace alusión al combate que deben sostener Pedro, hijo bastardo del conde de Saint Paul y don Gutierre de Quejada, un noble español, señor de Villa-García, por la mano de Clemencia, condesa de Nevers. En el desenlace, el español derrotará al francés —como era de esperar— derribándolo pero no matándolo y cumpliendo así la promesa de defender su vida pero no de quitarle la suya a su rival. Pedro es la fuerza bruta, Gutierre es el caballero civilizado que evita la sangre y es capaz de perdonar. Naturalmente obtiene el premio del vencedor. Algunos aleteos poéticos —difíciles de no en-

---

[22] El tema está relacionado con el poema *Elvira* del propio García Gutiérrez, obra narrativa en dos partes y de amplia extensión que relata los amores de Elvira y el conde Peransúrez en la corte del rey moro de Sevilla Abenamat. Es obra de cierto lirismo y delicadeza expresiva con un trágico final. Puede leerse en la edición de Entrambasaguas de las *Poesías* del autor, págs. 291-346.

contrar en cualquier obra de García Gutiérrez— no impiden que el drama se quede anclado en la mediocridad sin posibilidades de emprender un definitivo vuelo.

Simón Bocanegra es uno de los dramas más interesantes de su autor. Estrenado con mucho éxito —el más grande obtenido por García Gutiérrez desde *El Trovador*— en el Teatro de la Cruz el 17 de enero de 1843 y publicado ese mismo año por Yenes en Madrid, constituye, sin duda, el intento más serio y ambicioso de creación de un teatro «moderno» hecho por nuestro dramaturgo hasta ese momento y en el que personajes y situaciones se humanizan y se huye de lo tremebundo y de lo rebuscadamente extraordinario. Esa ambición se muestra ya en la gran longitud de la obra que es casi el doble que las anteriores y en el lenguaje y versificación que aparecen más cuidados y pulidos que de costumbre. Escrita en cuatro actos y con un prólogo muy amplio, *Simón Bocanegra* escenifica la llegada al poder y la muerte del primer dux de Génova. Nuestro dramaturgo imaginó una de sus tan queridas historias de amores imposibles e hijos desaparecidos pero, esta vez, en lugar de contárnosla por boca de un personaje, la escenifica —al menos en parte— en el prólogo. El Simón Bocanegra de García Gutiérrez es una especie de pirata noble, valiente y patriótico que consigue grandes triunfos para la República. Su correspondido y secreto amor por Mariana Fiesco, al que se opone el vengativo y patricio padre de la joven, da fruto y nace una niña. La muerte de la madre y la desaparición de la hija son el grande y secreto dolor del dux, que se esfuerza por mantener la paz entre patricios y plebeyos y en gobernar con justicia y equidad en medio de asechanzas, luchas por el poder, odios y rencores. Simón terminará por sucumbir ante sus enemigos pero no sin antes haber recobrado a su hija y haber bendecido su unión con el joven Adorno, miembro de una de las grandes familias genovesas, a quien nombra su sucesor. *Simón Bocanegra* es, sin duda, el más complicado de los dramas de García Gutiérrez; posee una inusitada riqueza de situaciones y una intriga que a veces se hace difícil de seguir. En él encontramos todos los temas predilectos del autor: guerra civil, pérdida de un niño, reencuentro, relaciones paterno-filiales, venganza y catarsis purificadora final. A ello habría que añadir una meditación sobre el poder, el amor y la soledad que alcanza momentos de expresión muy hermosa. El personaje central es probablemente la creación dramática más acabada de García Gutiérrez y la obra, aun con el defecto de ser algo confusa en ocasiones, bien digna de ser representada[23].

Sobre este drama escribió Verdi una ópera del mismo título, con libreto de Francisco María Piave y Arrigo Boito, que se estrenó en 1857[24]. Relegada a un segundo plano entre las óperas del maestro italiano durante casi un siglo y escasamente representada, ha sufrido en los últimos años un auge espectacular, hasta el extremo de erigirse en una

---

[23] El padre Blanco García se muestra bastante entusiasta con el drama al que califica de «admirable poema trágico». El crítico alaba las múltiples bellezas de la obra «entretejida de maravillosos fragmentos dramáticos» aunque lamenta la multiplicidad de acciones. Califica de «panorama soberbio» el final del III acto y todo el último, que en el perdón mutuo de Bocanegra y Fiesco «llega a la cumbre de lo sublime». Tal vez su crítica pueda resumirse en las siguientes palabras: «*Simón Bocanegra* ocuparía, a mi juicio, el primer lugar entre las obras dramáticas de su autor si atendiésemos únicamente a la belleza aislada de las partes, sin considerarlas en conjunto. Hay en él una sobreabundancia de episodios que embarazan el curso de la acción, un lujo ostentoso que arrebata, pero que también confunde; condiciones no privativas del presente drama histórico, sino comunes a todos o a casi todos los de García Gutiérrez.» Cfr. *La Literatura española en el siglo XIX*, I, Madrid, 1909, págs. 224-227.

[24] El estreno, en el Teatro de la Fenice de Venecia, constituyó un ruidoso fracaso. Pero Verdi creía en su obra y en la fuerza del original español; esperó unos años, bastantes, y volvió sobre ella revisándola cuidadosamente. El nuevo estreno tuvo lugar en 1881 en La Scala de Milán y alcanzó entonces gran éxito, aunque no sostenido. Personalmente la tengo por una de las cinco o seis mejores óperas de Verdi. En Madrid se estrenó en el Teatro Real el 7 de enero de 1861 celebrándose trece representaciones; la ópera no volvió a escenificarse. No he encontrado testimonio alguno de la reacción de García Gutiérrez ante la versión operística aunque, presumiblemente, asistió al estreno. Para la relación entre el drama y la ópera puede consultarse el artículo de José Luis Varela, «Verdi ante el *Simón Bocanegra* de García Gutiérrez», en *Estudios Románticos*, Valladolid, 1975, págs. 327-343. En la bibliografía extranjera el de F. Walter «Verdi, Giuseppe Montanelli and the libretto of *Simon Bocanegra*», en *Verdi*, Parma, Bollettino dell'Istituto di studi verdiani, 1960.

de las más escenificadas y prestigiosas obras del repertorio italiano. El *Simón Bocanegra* de Verdi es una espléndida obra que recrea con general fidelidad el drama español; carece del fuego y la tensión de *Il Trovatore* pero es más profunda y regular (lo mismo que sucede con los dos dramas de García Gutiérrez). La obra se divide en un prólogo y tres actos y todos los personajes centrales están respetados al igual que la intriga central y el desenlace.

Las bodas de doña Sancha es una nueva incursión de García Gutiérrez en el mundo medieval, con fondo de intrigas políticas, amorosas y de venganza. La acción tiene lugar el 12 de mayo de 1028. Para establecer la paz entre Castilla y León se acuerda el matrimonio de don García, conde de Castilla y la infanta doña Sancha de León. Pero don Rodrigo de Vela, que odia a don García porque el padre de éste, Sancho García, le había arrebatado a su familia villas y tierras, trama la venganza. Para acomodar la acción dramática a los hechos históricos, García Gutiérrez hace que don Rodrigo asesine a don García y que doña Sancha proclame que concederá su mano a aquél que la vengue del traidor. Naturalmente es el infante don Fernando, del que la infanta estaba enamorada, el que, tras un denodado duelo, mata al conde de Vela y se casa con doña Sancha que hasta entonces, y pese a sus sentimientos, había permanecido fiel a su prometido. No es *Las bodas de doña Sancha* uno de los mejores dramas de nuestro autor. No hay en los personajes originalidad alguna, rasgos propios o signos de poseer una vida individual y alejada de los clichés al uso. Tal vez lo más destacable de la obra sea la escena VI del acto I un diálogo entre doña Sancha y don Fernando, que está escrito con excelente tono poético y que nos trae a la mente la palabra dramática de un Lope, con su jugueteo de suave erotismo. Este drama, en tres actos y en verso, se publicó en Madrid, mayo de 1843, en la imprenta de Repullés.

El mismo año de su llegada al Nuevo Mundo, 1844, García Gutiérrez dio a conocer en Méjico la edición de su drama *Los alcaldes de Valladolid* y un año más tarde, 1845, la segunda parte titulada *El secreto del ahorcado*. Ambas se publicaron en Mérida de Yucatán. Me ha sido imposible hallar ejemplares de estas dos obras. La única referencia que he logrado encontrar es la que aparece en el libro de Carmen Iranzo *Antonio García Gutiérrez,* aunque sólo de la segunda ya que la autora confiesa no haber localizado tampoco la primera de ellas[25]. *Los alcaldes de Valladolid,* según información del volumen de *Obras escogidas* consta de tres actos, está escrito en verso, y se editó en la Imprenta de Jerónimo Castillo en 1844 en la citada Mérida[26].

En cuanto a *El secreto del ahorcado,* escrito en verso y en cuatro actos, Iranzo lo conceptúa como un drama lleno de sombras y algo difícil de entender, al no estar el lector al tanto de lo sucedido en la primera parte.

Empeños de una venganza es una obra en tres actos y en verso publicada en Madrid, septiembre de 1844, en la imprenta de José Repullés; es un drama muy ceñido —de hecho es uno de los más breves del autor— y un algo complicado, con suplantaciones de personalidad; esposa ejemplar que tuvo antaño amores ocultos cuyo fruto es ahora un apuesto y valeroso joven enamorado, sin saberlo, de su hermana; marido que, por unas cartas que llegan a sus manos por confusión, se entera de la infidelidad de su mujer; venganza del ultrajado que cree matar al seductor pero que al final éste resulta ser otro... En fin, la intriga acumula misterios, malentendidos y sorpresas que finalizan con un mensaje cristiano de perdón. Cabe destacar la maestría del dramaturgo en el tejido técnico de la trama, que probablemente resultaría eficaz en una representación y el tono declamatorio, no exento de dignidad, del verso, en especial en los parlamentos otorgados a don Diego —el marido— que lucha entre el amor que siente hacia su esposa, los deseos de venganza, sus heridos sentimientos y la imposición

---

[25] El ejemplar de *El secreto del ahorcado* parece haberlo conseguido la autora en alguna biblioteca de los Estados Unidos, país en el que el libro fue realizado. Sobre esta obra véanse las págs. 87-89 del mencionado estudio.

[26] Pág. XXIV. Las informaciones aquí recogidas no parecen por completo fiables ya que, a veces, difieren de lo señalado en las primeras ediciones. Carmen Iranzo da como fecha de publicación de *El secreto del ahorcado* 1846 y no 1845 como se indica en el mencionado volumen.

social que le obliga, como noble que es, a llevar esta venganza hasta la muerte, aun en contra de su más íntima voluntad. El principal personaje femenino, doña Leonor, la esposa, es, de nuevo, ese tipo de mujer mezcla de debilidad y fortaleza que quiere ser consorte virtuosa pero que no puede olvidar el amor que la inclina hacia otros brazos.

Gabriel es un drama en tres actos y en verso publicado en Madrid en 1844 en la Imprenta de Repullés. En él encontramos algunos de los temas recurrentes en García Gutiérrez: guerra civil —la de Sucesión a la corona de España (1702-14)—, niño perdido que sólo al final de la obra descubre su identidad, heroína arrastrada por una pasión contra la que lucha, especial importancia de las relaciones paterno-filiales... Pero también es un drama íntimo de amor no correspondido y apenas confesado, con un ámbito teatral más contenido de lo que es habitual en nuestro autor y una resolución del conflicto más sencilla y menos «romántica» de lo que es norma. Las mejores partes del drama son las intimistas. El personaje central no es ya el típico héroe romántico sino un hombre bueno y noble que sufre por un amor no correspondido. La heroína, Inés, no hace gala de grandes gestos, dagas o venenos. Su lucha interna entre el amor-pasión que siente por Félix y el rechazo de su razón al comprender que él no sólo no la ama sino que es mentiroso y traidor, le da una entidad teatral y humana convincente que se acentúa al darse cuenta del gran amor que Gabriel siente por ella. Desde un punto de vista político es bastante clara la simpatía del autor por las ideas liberales atribuidas a los partidarios de don Carlos de Austria y su rechazo de los Borbones y del pretendiente francés, el futuro Felipe V[27]. En conjunto, una obra irregular con momentos de interés.

La mujer valerosa es un drama en cuatro actos y en verso sobre la figura de doña María de Pacheco, esposa del jefe comunero Padilla. La acción tiene lugar en Toledo durante la guerra civil de 1519 a 1521. A los aspectos histó-

_____

[27] La rima que García Gutiérrez realiza con Anjou —Felipe V era duque de Anjou— es divertida y reveladora: Belcebú.

ricos de la defensa de la ciudad castellana se añade una doble trama amorosa: el valiente y fiel Tello Gil que está enamorado secretamente y sin esperanza de doña María y el
traidor y cobarde don Pedro que, pese a estar casado en Madrid, seduce con promesas de matrimonio a la joven Inés,
hermana de Tello. Con la caída de Toledo tras los sucesos
de Villalar y el ajusticiamiento de los rebeldes se respetan
los hechos históricos[28]. La figura dominante es doña María
que en las dos últimas jornadas alcanza un marcado prota-
gonismo. Su monólogo al recibir la noticia de la muerte de
su esposo (acto III, escena 7) es de una sobriedad no exenta de lirismo y vuelo romántico; así comienza:

> ¡He aquí, ambición, el porvenir risueño,
> término infiel de la esperanza mía,
> que halagaba mi ciega fantasía
> con loco afán y poderoso empeño!
> ¡Doloroso y terrible desencanto!
> ¡Cómo la venda se rasgó en mal hora
> trocándome, ¡ay! en llanto
> mi fácil ilusión deslumbradora!

La arenga que dirige desde el castillo a los toledanos, con
su hijo en brazos, para que continúen la lucha comunera
defendiendo a Castilla y a la libertad no carece de grandeza
y resulta teatralmente muy efectiva. Los demás personajes
no pasan de los conocidos esquemas. La obra se estrenó en
Mérida de Yucatán (Méjico) en 1845 y obtuvo una gran aco-

---

[28] Doña María de Pacheco (m. 1531) era hija del conde de Tendilla,
sobrina del Marqués de Villena y esposa de don Juan de Padilla. Cuando
supo la derrota de Villalar —23 de abril de 1521— se aprestó a defender
Toledo de cuya ciudad era regidor su marido, resistiendo a las fuerzas del
Prior de San Juan (10.000 hombres) hasta el 25 de junio de ese año en
que capituló. Tuvo que huir a Portugal disfrazada de campesina. Hasta
allí la persiguió la venganza de don Carlos que no sólo no le concedió nunca el indulto sino que impidió incluso que, a su muerte, sus restos repo-
sasen en tierra castellana como era el deseo, reiteradamente solicitado al
emperador, de doña María. Sobre este interesante personaje escribió Martínez de la Rosa su tragedia en cinco actos *La viuda de Padilla* (1812) y
Gaetano Donizetti una ópera, *María Padilla,* estrenada en La Scala de Milán en 1841.

gida, publicándose al año siguiente en la Imprenta de Castillo de la mencionada ciudad.

También en Mérida dio a conocer nuestro autor en 1846 una obra en un acto verdaderamente singular *Los hijos del tío Tronera,* sainete paródico de *El Trovador,* al que luego nos referiremos. La obra se estrenó en Madrid en el Teatro de la Comedia en 1849.

Afectos de odio y amor es una obra muy distinta; una comedia al estilo de las de nuestro Siglo de Oro, con sus enredos, sus equívocos, sus situaciones cómicas, la doble pareja de amos y criados, unos cuantos toques de ironía, muy saludables, y el final feliz. Como no podía faltar en nuestro dramaturgo, también aquí nos encontramos con un trasfondo histórico, las luchas entre Felipe II y el prior de Crato por la sucesión a la corona de Portugal, vacante tras la desgraciada muerte de don Sebastián, y no menos, con un misterioso suceso acaecido años antes de 1580, fecha fijada por García Gutiérrez para la acción de su comedia. La obra tiene lugar en Portugal; dos damas lusitanas, doña Inés y doña Teodora, están enamoradas del mismo caballero, el apuesto capitán español don Juan de Silva. A partir de ahí la trama se complica con diversas historias, un cautiverio en Argel, una fortuna que se creía perdida y se recobra, malvado que intenta con el fuego borrar las pruebas de su infamia... Aunque la trama es más bien inverosímil, *Afectos de odio y amor* es una comedia ágil y, en muchos momentos, divertida, con justeza en las réplicas y una versificación fluida y eficaz. Los enredos están bien resueltos y el conjunto es agradable y ameno [29]. La obra, en verso y tres actos, se estrenó en el Teatro de la Comedia de Madrid el 28 de junio de 1850 publicándose ese mismo año en la capital de España, en la imprenta de la Viuda de D. R. J. Domínguez.

Los millonarios es una divertida comedia en tres actos y en verso publicada en 1851 por Domínguez, que supone,

---

[29] En la obra hay un implícito homenaje a *El alcalde de Zalamea* pues el capitán don Juan de Silva pertenece a los tercios de don Lope de Figueroa y parece evidente que García Gutiérrez se inspiró en el modelo calderoniano de comedia.

en realidad, una nueva versión de *El caballero de industria* escrita casi dos decenios atrás. *Los millonarios* muestra, una vez más, la vena cómica y satírica de García Gutiérrez tan eclipsada por sus dramas históricos. Es una comedia muy bien hecha, acaso mejor que *El caballero de industria* aunque menos fresca. Los personajes son más «normales» pero menos contrastados y carece del sentido de «ópera buffa» y caricaturesca sátira social de la primera versión. Con todo, una comedia agradable. No es poco.

La bondad sin la experiencia es una comedia de carácter psicológico de tres actos y en verso que se estrenó en Madrid, en el Teatro del Príncipe, el 24 de marzo de 1855, publicándose en la imprenta de Rodríguez también en Madrid y en el mismo año. El principal atractivo de la obra reside en la caracterización de los tres personajes centrales: la hermosa viuda Guadalupe —que llega a Madrid desde Méjico después de haber pasado una temporada en Sevilla—, don Fernando, hombre bueno, tímido y en exceso crédulo, y don Diego, cínico e interesado. Ambos hombres aspiran a la mano de Guadalupe y don Diego, para deshacerse de su rival, le cuenta a éste todo tipo de rumores y habladurías acerca de la viuda que son creídas por el ingenuo pretendiente. La comedia no carece de agilidad en el enredo y es hábil de construcción. Guadalupe lleva el mayor peso de la obra y García Gutiérrez la retrata de manera adecuada a través de sus réplicas y ocurrencias, como la del audaz juego, no exento de picardía, de esconder a Fernando en su propia alcoba para que éste pueda descubrir las verdaderas intenciones de Diego. El final feliz es el lógico y adecuado para un drama que sigue fielmente los convencionalismos y reglas establecidas de la comedia, con sus toques de crítica social —la condena de la murmuración— y su moraleja.

Con *Un duelo a muerte* vuelve García Gutiérrez al mundo italiano. La obra alcanzó un gran éxito en su estreno, que tuvo lugar el 22 de diciembre de 1860 en el Teatro del Príncipe, editándose ese mismo año en la Imprenta de Rodríguez. El drama toma como modelo, según confiesa el autor en su dedicatoria de la obra a Emilio Santillán, el entonces famosísimo *Emilia Galotti* de Gotthold Ephraim Lessing, escrito en 1772[30]. La Emilia de *Un duelo a muerte* es víctima de la pasión que su belleza despierta en el príncipe de Florencia, quien pierde toda medida del honor al tratar de conseguir por la fuerza a la joven. Como en la historia de Lucrecia, el argumento se vuelve en una diatriba contra la tiranía de los poderosos que no vacilan en los medios para conseguir sus satisfacciones particulares. *Un duelo a muerte* consta de tres actos, está escrita en verso y posee cierta reciedumbre y vigor dramáticos. El final, difícil de comprender para una mentalidad de hoy —Emilia muere a manos de su esposo la noche de bodas para no caer en poder del príncipe— tiene, sin embargo, todo el sabor y la grandilocuencia del teatro romántico[31].

Eclipse parcial es una alta comedia en verso y en tres actos que se estrenó el 24 de diciembre de 1863 en el Teatro del Príncipe y que fue publicada ese mismo año en la im-

---

[30] En general, cuando se estudia el teatro español del siglo XIX —y sobre todo a los dramaturgos románticos— se incide en el influjo francés olvidándose con notoria injusticia de la herencia germana. Es cierto que el primero es más intenso y cercano pero en modo alguno cabe ignorar la deuda para con los dramaturgos alemanes. Goethe, Schiller y Lessing influyeron decisivamente en los escritores españoles y buena prueba de ello es el ejemplo de *Emilia Galotti*, drama célebre en toda Europa —incluso a través del *Werther* de Goethe (es precisamente la obra que lee el protagonista el día de su suicidio)— y que García Gutiérrez debió conocer en traducción francesa, ya que la primera traducción al castellano de que tengo noticia no se realizó hasta 1869.

[31] Ni para Milá y Fontanals ni para Blanco García es *Un duelo a muerte* obra de especial interés. El primero afirma que la sustitución del padre por el esposo en la terrible acción de la muerte de la heroína es poco feliz porque falta así la autoridad patriarcal «tanto más cuanto que no está completamente justificada en el drama español la necesidad del sacrificio». Como positivo considera la mayor entereza del carácter de la heroína y que el duque sea menos odioso. En *Obras completas*, V, Barcelona, 1893, pág. 201. Por su parte, el padre Blanco es excesivamente duro con la obra: «*Un duelo a muerte* no merece colocarse entre lo verdaderamente selecto del repertorio de García Gutiérrez. El argumento está informado por un efectismo de melodrama que era el achaque de que más necesitaba curarse el poeta, y no deben seducirnos lo patético de algunas situaciones, ni los primores del diálogo, ni la intención política y social que buenamente se le ha atribuido.» *La Literatura Española en el siglo XIX*, I, Madrid, 1909, pág. 227.

prenta de Rodríguez. De ella podría haberse sacado un magnífico guión cinematográfico para una de aquellas comedias de Hollywood de los años 40 y 50 en las que aparecían grandes mansiones, mayordomos, doncellas, señores de *smoking* y señoras en trajes largos que representaban alguna inocente intriga amorosa con final feliz y moralizante que solía tener un trasfondo puritano y muy conservador. *Eclipse parcial* es, en realidad, una comedia que defiende el matrimonio «de toda la vida» frente a las innovaciones de la separación y el divorcio. El conde Martín y su esposa Adela están a punto de divorciarse legalmente y sólo esperan la sentencia del juez. Él se ha dejado embaucar por la atractiva Carlota la cual, naturalmente, vale mucho menos que su mujer legítima. Para conseguir que el matrimonio siga unido, Carlos, prometido de Sofía, hermana de la protagonista, y antiguo novio de Carlota, prepara las cosas para que Martín descubra el verdadero carácter de la mujer con la que piensa volver a casarse. En medio de suaves intrigas, algún malentendido y unos toques de ironía, se llega al esperado y feliz desenlace. La obra responde a lo que un espectador de teatro de la época esperaba de una comedia «contemporánea» entre gentes de buena familia y alta posición social: hay elegancia, clase, y como se dice ahora, «sofisticación».

Las cañas se vuelven lanzas es una comedia en tres actos y en verso que se estrenó en Madrid, Teatro del Príncipe, el 12 de octubre de 1864, publicándose ese mismo año en la imprenta de Rodríguez. La acción se desarrolla en Toledo a comienzos del siglo XIX. La trama se centra en los esfuerzos de una linda joven, Ana, que llega a la ciudad imperial desde las islas Canarias buscando a su primo, don León, militar del que está enamorada. El ingenio, la abnegación y el amor de Ana conquistarán de nuevo al fiero militar que sucumbirá ante las convincentes armas desplegadas por la joven, no sin antes haber pasado por trances difíciles, entre ellos un duelo que está a punto de costarle la vida[32]. La comedia es en exceso

---

[32] A esto hace referencia el título. Se aplica la frase proverbial «las cañas se vuelven lanzas» cuando las cosas que han empezado por ser un

larga y repetitiva aunque tiene momentos muy divertidos, como las frases de doble sentido que jugando con nombres de animales aparecen en el primer acto: don León, el teniente Lobo, y un pequeño zoológico en el que aparecen perros, pájaros, erizos, borricos, bueyes y hasta congrios.

Con *Venganza catalana* alcanzó García Gutiérrez el más grande triunfo desde *Simón Bocanegra* —estrenada veintiún años atrás— y la renovación de un prestigio y una popularidad que había ido declinando ostensiblemente. La obra se estrenó el 4 de febrero de 1864 en el Teatro del Príncipe de Madrid y de ella se dieron nada menos que 56 representaciones consecutivas, cifra extraordinaria para la época. El 3 de marzo se realizó una función-homenaje en la cual el autor fue coronado como poeta y el público le arrojó flores y palomas. El drama fue publicado en 1864 en la madrileña imprenta de Rodríguez. *Venganza catalana,* escrita en verso y en cuatro largos actos, recrea el asesinato en Grecia de Roger de Flor y la posterior venganza de las tropas catalanas. Sobre estos hechos realizó nuestro dramaturgo una de sus obras más vigorosas, en la que el acento heroico de la versificación, el propio tema de la traición y la venganza y la valoración de la amistad, el honor y el amor le confieren un tono general de cierta grandeza. Sin embargo, la incrustación en la trama de episodios secundarios —los amores de Roger con Margarita, hija del jefe de los alanos, la pasión de Alejo por la princesa María y la de Irene por Roger—, la excesiva longitud de muchos parlamentos y la exaltación de la guerra y la violencia —so capa de un canto al patriotismo— hacen que *Venganza catalana* resulte en exceso declamatoria y prolija, cayendo en la reiteración y la pesadez. Particularmente ingenuas resultan las constantes alabanzas al valor y la hombría de los soldados españoles —cuyas hazañas oscurecen hasta las maravillas de Troya— y a la grandeza de España —el mejor pueblo de Europa—, mientras que turcos y griegos, pese a

---

mero juego llegan a convertirse en serias y graves. El final de la comedia devuelve, sin embargo, a su estado inicial de cañas las ofensivas lanzas.

que son cuatro veces más en número, tiemblan ante la bravura española. El desmesurado patriotismo de *Venganza catalana* fue, sin duda, factor decisivo en el éxito popular de la obra[33]. Por otra parte, los personajes están poco matizados, en especial el protagonista que, desde luego, no responde a la psicología de un mercenario ni a la de un político ambicioso, siendo todo nobleza, desinterés y hombría de bien. Tampoco es muy convincente el personaje de la princesa María que se pasa la obra despotricando de su patria y alabando a España, ni el de Miguel Paleólogo que hace de malo, cobarde y traidor. Más equilibrados aparecen Gircón, jefe de los alanos, y su hijo Alejo, aunque siempre dentro de lo convencional.

Sólo un año más tarde del enorme éxito de *Venganza catalana* se estrenaba la que habría de ser obra predilecta del autor: *Juan Lorenzo,* un drama en cuatro actos y en verso, situado en Valencia durante las revueltas de las germanías de 1519. La primera función tuvo lugar en el Teatro del Príncipe de Madrid el 18 de diciembre de 1865, publicándose ese mismo año y en esa misma ciudad en la Imprenta de Rodríguez. La obra fue un fracaso y duró sólo ocho representaciones[34]. Sobre un trasfondo de luchas civiles, que enfrentan a nobles y plebeyos, asunto caro al autor, *Juan Lorenzo* es, en realidad, un drama personal e incluso, en algunos aspectos, intimista. La obra tiene, por una parte, características románticas: la propia situación histórica del

---

[33] Este aspecto fue ya denunciado por Enrique Piñeyro en su libro *El Romanticismo en España,* Liverpool, 1934 (ed. A. Peers), págs. 78-80 y constituyen para el crítico una equivocación del autor, ya que las virtudes de la obra no necesitaban de este soporte efectista para brillar en toda su valía. También José R. Lomba se refiere abundantemente a estos aspectos «patrioteros» y a la «virtud de oportunidad» de la obra, aunque afirma que *Venganza catalana* «pueda ser tenida acaso, en conjunto, (...) por el drama histórico más completo que nos dejó el Romanticismo en España». Prólogo a su edición de *Venganza catalana* y *Juan Lorenzo,* Madrid, Clásicos Castellanos, 1958, pág. XIX.

[34] Sobre esto escribe con cierta agudeza Antonio Sánchez Pérez en su artículo «Dos fracasos (Recuerdos de 1865). El fracaso de *Juan Lorenzo*», *La España Moderna,* núm. 157, enero, 1902, atribuyéndolo fundamentalmente a que los progresistas de la época encontraron el drama muy timorato, lejos de la proclama incendiaria que esperaban.

drama —ya empleada por García Gutiérrez en *El encubierto de Valencia*—, los conflictos de amores y venganzas, el nacionalismo, algunos sucesos «espantosos», como la decapitación del paje en la iglesia, o la propia idiosincrasia de la heroína con su amor puro y recatado acechada por el orgulloso noble que la desea y por el despechado y envidioso plebeyo que también aspira a conseguirla. Por otra, apunta ya hacia el drama «moderno», con sus reflexiones sobre las diferencias sociales, la preocupación por la cultura del pueblo y el abuso de las clases privilegiadas. También por una evidente tendencia general a la moderación, más marcada todavía si la comparamos con los dramas anteriores. Juan Lorenzo, un *pelaire,* es decir un cardador de lana, que ha estudiado para cura protegido por el cardenal Cisneros[35] y que se ha convertido en jefe de las germanías, es un personaje dubitativo, que al principio parece estar lleno de energías y esperanzas pero que, al final, se nos revelará como hombre cansado y de escasa salud, casi el antihéroe romántico, que no muere ni violenta ni heroicamente, sino de muerte natural (aunque no se especifica, parece que se debe a un ataque al corazón). Era lógico que el público que había aclamado los acentos patrióticos y triunfalistas de *Venganza catalana* se sintiese defraudado ante *Juan Lorenzo* al que juzgaban débil y poco capaz para encarnar las virtudes de la raza[36]. En su drama, el autor deja bien claras

---

[35] García Gutiérrez fue admirador ferviente del famoso cardenal, al que dedicó un laudatorio y mediocre soneto que comienza «Si un instante romper te fuera dado / la glacial ligadura de la muerte» y que exhala un cierto aromilla patriotero y belicoso *(Poesías,* ed. Entrambasaguas, pág. 379).

[36] Vicente Llorens resume acertadamente uno de los puntos fundamentales de la obra: «*Juan Lorenzo* es el drama del ideal revolucionario traicionado por aquellos mismos que fingidamente parecen compartirlo.» *El Romanticismo español,* Madrid, Castalia, 1979, pág. 401. Lomba señaló ya los aspectos negativos de la obra y del personaje que contribuyeron a su fracaso: «Como obra teatral y representable, *Juan Lorenzo* está acaso mal encauzada. La acción avanza lánguida y vacilante: la crítica lo advirtió desde el primer día. Ni amante apasionado, ni caudillo audaz y resuelto, su protagonista no es apto para darle el impulso enérgico que la lleve con la rapidez necesaria ante un público teatral. A más de esto, para el que se haya interesado en la aspiración redentora del buen *pelaire,* el desenlace es una decepción llena de sorpresa.» *Op. cit.,* pág. XXI.

las ideas progresistas de Juan Lorenzo que reivindica el derecho a que los fueros sean respetados por la nobleza. En un diálogo entre Juan y Sorolla —el antagonista— (acto I, escena III) leemos:

> SOROLLA: Si es natural... jerarquías
> creó Dios hasta en el cielo:
> ¿no ha de haberlas en la tierra?
> LORENZO: Hay jerarquías, es cierto.
> ....
> más ¿con qué señal nos dice:
> «Tú eres noble y tú plebeyo»?
> ....
> Ni me importan sus blasones
> ni de su orgullo me ofendo,
> lo que me ofende es que toquen
> a mis naturales fueros.

Juan Lorenzo tiene partes muy bellas, de poesía luminosa y emotiva aunque, como siempre en García Gutiérrez, la trama se complica en intrigas secundarias que le restan unidad y el tratamiento dramático es irregular y, en ocasiones, falto de pulso [37]. Tal vez el que la obra pueda considerarse como la más meditativa entre las de su autor haya sido la causa de la predilección que por ella sentía el dramaturgo.

Sendas opuestas es una comedia en tres actos y en verso que se estrenó en el Teatro Español de Madrid el 22 de marzo de 1871 publicándose ese mismo año en la capital de España en la Imprenta de José Rodríguez. La acción se

---

[37] F. Ruiz Ramón expresa también sus reservas en estos aspectos: «La pieza, pese al tema, no tiene nada de drama social. Le falta un mínimo de realismo dramático y de verdad, y le sobra intriga.» *Historia del teatro español,* Madrid, Alianza, 1971, pág. 385. Pero algunos críticos se mostraron entusiastas con la obra. Así Blanco García que la califica de «cuadro sublime» y «prodigio dramático», achacando su falta de éxito a la intolerancia de los partidos y al fanatismo de bandería. Cfr. *La Literatura Española en el siglo XIX* I, págs. 230-231. Piñeyro considera a *Juan Lorenzo* como el mejor de los dramas de su autor por lo que respecta al estilo, aunque resulte inferior a *El Trovador* en importancia histórica y a *Venganza catalana* en grandeza. *El Romanticismo en España* (ed. inglesa de Peers), Liverpool, 1934, págs. 80-82.

desarrolla en un pueblo de Escocia en los actos primero y tercero, mientras que el segundo tiene lugar en Londres. Es una obra moralizante, que responde a una mentalidad decimonónica y liberal pese a que hoy nos parezca más bien conservadora y, en ciertos aspectos, reaccionaria. La comedia enfrenta dos tipos de educación: el muy estricto y el muy consentido que se escenifica a través de las relaciones paternofiliales de un rico labrador y su única hija —la educación rígida— y la hermana de aquél y la suya —la educación blanda. La prueba de las dos jóvenes tiene lugar con la llegada de dos pretendientes que han hecho una apuesta para saber si las muchachas consentirán, ante sus declaraciones amorosas, en huir con ellos. *Sendas opuestas* no es una mala comedia; los tipos están bien definidos y contrastados, en especial la protagonista y su puritano padre a quien el dramaturgo hace reflexionar con versos inspirados en Dante: «¿Hay nada más doloroso, / más terrible que el hermoso / recuerdo del bien perdido?»[38]; la trama, pese a su complejidad, está hábilmente manejada y la versificación tiene el toque adecuado a una comedia de buen gusto. Como defectos pueden señalarse el exceso de melodramatismo, que en momentos recuerda al de *La dama de las camelias* de Dumas, algunas intromisiones poco verosímiles, como la de la mulata Berta, y cierta moralina que hoy nos resulta muy pasada.

Estrenada en el Teatro Circo de Madrid, el 25 de enero de 1872, *Nobleza obliga* es una comedia seria, escrita en verso y en tres actos, publicada ese mismo año por Vizcaíno en la capital de España. La obra se centra en las disputas entre don Luis y don Diego por el amor de una agraciada viuda, doña Francisca. Pero se complica con una trama demasiado rebuscada y algo confusa en la que no puede faltar el niño que resulta ser hijo de otro padre, llegando a resultar fatigosa. El personaje más interesante es, sin

---

[38] Nessum maggior dolore
che ricordarsi del tempo felice
nella miseria

Versos que pertenecen al episodio de Paola y Francesco en el canto V del Infierno de la *Divina Comedia*.

duda, el de doña María, que se debate entre el amor a su hijo, la sed de venganza y el sentido de rectitud que le otorga su nobleza[39]. En su conjunto, la obra no pasa de lo mediano, resaltando, una vez más, el indudable dominio que el autor muestra del oficio teatral.

El último drama histórico de García Gutiérrez es *Doña Urraca de Castilla.* El tema no podría ser, en principio, más atractivo, pues esta mujer fue uno de los más interesantes y aun apasionantes personajes de todo el Medievo hispánico. Desgraciadamente, García Gutiérrez nos ofrece una historia de vena sentimental —la rivalidad de la reina y el aya Sancha por el amor del niño Alfonso (la obra estuvo a punto de titularse *Las dos madres)—* y de tintes melodramáticos —el «malvado» rey de Aragón que intenta asesinar al tierno príncipe— con lo que el esperado discurso político y la riqueza dramática de la protagonista quedan muy mermados. Aun con algunos aspectos positivos —la versificación que es a veces de cierta grandeza poética, en especial en el segundo acto— *Doña Urraca de Castilla* es un ejemplo flagrante del desfase del dramaturgo al intentar realizar un tipo de teatro ya superado. La obra, escrita en verso y dividida en tres actos, se estrenó con aceptable éxito en el Teatro Circo el 15 de octubre de 1872, publicándose por Vizcaíno ese mismo año.

Crisálida y mariposa es una suave comedia de adolescentes, estrenada en el Teatro Español el 9 de noviembre de 1872. Escrita en verso, consta de dos únicos actos y fue pu-

[39] Esta es también la opinión de Carmen Iranzo para quien los dos personajes femeninos son muy superiores a los masculinos. El de doña María es, para la mencionada crítica, una gran creación del dramaturgo. Cfr. el comentario que sobre este drama aparece en su mencionado libro *Antonio García Gutiérrez,* pág. 117.

[40] El padre Blanco García se queja del tratamiento que el autor hace del Batallador del que dice que está «visiblemente falseado», lo cual es cierto, pero si el personaje no es precisamente un logro no se debe a ese falseamiento ya que la verdad histórica y la verdad dramática no tienen por qué coincidir. Más bien habría que decir que es un personaje poco rico y sin auténtica dimensión humana; pero supongo que su verdadera imagen histórica tampoco haría de él un personaje particularmente atractivo. ¿Qué puede pensarse de un soberano que deja en testamento todo su reino a unas órdenes militares de carácter religioso?

blicada el mismo año de su estreno en la imprenta de Vizcaíno. La obra tiene lugar en Valencia y su leve argumento nos sitúa ante los problemas amorosos de la joven Clara que atraviesa el difícil paso de la niñez a la adolescencia, es decir el de su transformación de crisálida en mariposa. Comedieta estilizada, intento de introspección psicológica, *Crisálida y mariposa* es un drama bien escrito, no exento de algún atisbo de ironía e incluso, en momentos aislados, finamente melancólica. Pero también resulta blanda, sin consistencia dramática y más bien superficial.

Tampoco *Un cuento de niños,* la siguiente comedia estrenada en 1877 —el 23 de noviembre en el Teatro Español—, puede situarse entre las mejores obras de García Gutiérrez. La historia trata de dos jóvenes casados secretamente, Miguel y Cecilia, un padre adusto y rencoroso, don Servando, y otro más comprensivo aunque lejos de lo perfecto, don Esteban. La comedia no llega verdaderamente a interesar, ninguno de los personajes puede considerarse ni original ni seductor y, por el contrario, abundan los convencionalismos y las casualidades. El final se prevé desde el comienzo y así la intriga carece de intensidad dramática. Escrita en dos actos —es una comedia más bien corta— sólo es aceptable su factura poética y su sabor teatral aunque éste se consiga más por el oficio que por la inspiración. *Un cuento de niños* tuvo poco éxito. La obra fue editada en la imprenta de Rodríguez el mismo año de su estreno.

La última creación de nuestro autor es también un drama burgués contemporáneo. *Un grano de arena* es una obra en tres actos y en verso, estrenada en el Teatro de la Comedia de Madrid el 14 de diciembre de 1880 y publicada en la imprenta de Rodríguez ese mismo año. La complicada trama escenifica las dificultades de un matrimonio, don Diego y Marta, en cuya vida se cruza el indeseable Isidoro, que trata de vengarse de don Diego y de seducir a Marta, novia suya en otro tiempo. Poco hay que comentar en este drama en el que el pulso dramático de García Gutiérrez parece haber perdido definitivamente su capacidad creadora. Con rebuscamiento, trazos melodramáticos y desenlace mo-

ralizante, *Un grano de arena* señala el final de un dramaturgo que parecía, en efecto, estar ya al término de sus días
como escritor de teatro. No faltan en el drama algunos momentos que denotan la mano del poeta pero son los menos; también es evidente el dominio de los mecanismos teatrales, la multiplicidad de entradas y salidas de personajes,
la riqueza de algunas réplicas, el ritmo conseguido en ocasiones... Pero *Un grano de arena,* en su conjunto, nada
aporta a la gloria de García Gutiérrez ni al teatro español
de su tiempo[41].

El triunfal estreno de *El Trovador*

Pocas veces en la historia de nuestro teatro se ha habla-
do tanto de un estreno como el que el día 1 de marzo de
1836 se produjo en el Teatro Español de Madrid. Un joven completamente desconocido estrenaba un «drama caballeresco» que habría de consagrarlo como uno de los
grandes autores de su tiempo y a la obra como modelo del
drama romántico, del nuevo teatro, como entonces se
llamaba.

En 1835, el joven poeta había escrito un drama titulado
El Trovador que llevó al famoso empresario Grimaldi, entonces el más importante de Madrid, que tenía a su cargo
los teatros del Príncipe y de la Cruz, el primero más ele-
gante, el segundo más popular. A Grimaldi le interesó la
obra y propuso su estreno en el de la Cruz al que normalmente acudían autores y obras de carácter más ligero. Los
actores no tomaron en serio el moderno drama y se nega-

---

[41] En una interesante crítica a esta obra, Armando Palacio Valdés señala la espectación del «todo Madrid» ante el estreno y su propia decepción ante un teatro muy superado «Obra inferior, sin disputa, a otras producciones de tan esclarecido poeta» nos dice, aunque luego añade «... abundan la discreción, los recursos de buena ley, los rasgos delicados y los versos admirables. Aunque producto de la senectud al fin es la obra de un
gran maestro». Palacio hace, sin duda, una crítica muy respetuosa pero,
pese a su amabilidad, la sensación final es bastante negativa. Cfr. *La Literatura en 1881* en *Obras completas,* vol. II, 6.ª ed., Madrid, Aguilar, 1970
págs. 1455-1457.

ron a representarlo. Desalentado, García Gutiérrez decidió «engancharse» en el ejército que Mendizábal, entonces presidente del Gobierno, estaba preparando para luchar contra los carlistas. El joven estaba cumpliendo con la milicia en el pueblo de Leganés, muy cercano a Madrid, cuando le llegó la gran noticia: el actor Antonio de Guzmán, probablemente a instancias de Espronceda, había elegido *El Trovador* como la obra que para su beneficio iba a interpretar en el Príncipe. El joven soldado se escapó del cuartel sin permiso de sus jefes para poder asistir a los ensayos y al estreno. Así lo ve Galdós poco antes del famoso acontecimiento, en compañía de Fernando Calpena, héroe de la tercera serie de los *Episodios Nacionales:*

> Algunas tardes paseaba en compañía del soldadito chiclanero y poeta (...) Antonio García Gutiérrez, autor imberbe de un drama caballeresco que tenían en su poder los cómicos del Príncipe[42].

La noche del estreno, el teatro era un hervidero, las entradas se habían agotado y entre los aficionados había cundido la voz de que la obra era una verdadera sensación. El cartel anunciador del espectáculo que apareció en las esquinas de Madrid en la mañana del 1 de marzo decía así:

«Teatro del Príncipe.

Función extraordinaria para hoy martes 1º de Marzo de 1836, a las siete de la noche, a beneficio del señor Antonio Guzmán.

»Se dará principio con una sinfonía; enseguida se representará el drama caballeresco en cinco jornadas, en verso y prosa, titulado *El Trovador*. Bien hubiera querido el beneficiado ofrecer al público, que tanto le favorece, una obra de diferente género que *El Trovador;* pues perteneciendo este drama a la moderna escuela literaria, y no siendo ninguno de sus personajes análogo con su carácter cómico, se

---

[42] *Mendizábal, Episodios Nacionales,* II, Madrid, Aguilar, 1971, página 973.

ve en la necesidad de renunciar a la ejecución de cualquiera de ellos. Pero por otra parte, no puede menos de tener una complacencia, aprovechando la ocasión que se le presenta de ofrecer al público de Madrid la primera composición original de un joven patriota, que voluntariamente acaba de alistarse en las filas de los defensoress de la patria.

»*Nota.* El quinto acto se divide en dos partes, que marca la caída de un telón distinto del que señala la división de los actos.

»*Aviso.* En este drama, lo mismo que en casi todos los de la escuela moderna, se necesita en Madrid la indulgencia de los espectadores por la inevitable pesadez de los entreactos. Las medidas más eficaces se han tomado para activar los cambios de decoraciones; pero el celo de los operarios no puede vencer las dificultades inherentes a la mezquindez de nuestros escenarios. Esta consideración no puede menos de hacer fuerza a un público tan juicioso como el de esta capital.

»Concluido el drama se tocará una de las mejores sinfonías del día. Y se dará fin a la función con una pieza nueva en un acto, obra en francés de la inagotable pluma de Scribe, traducida al castellano bajo el título de *La frontra española o El marido de tres mujeres,* en la que ha beneficiado desempeñará el principal papel. Actores en el drama: señoras Rodríguez, Lamadrid y Martínez: señores Latorre, J. Romea, F. Romea, P. López Fabiani, J. de Guzmán, N. Lombia, Monreal y Bagá. Idem en la pieza: señoras Lamadrid, Baus y Martínez: señores A. de Guzmán, F. Romea y P. López»[43].

El éxito fue apoteósico, hasta el extremo de que el joven autor hubo de salir a saludar al público desde el escenario, cosa por completo nueva en el teatro español de enton-

---

[43] Carlos Guaza y Gómez de Talavera: *Músicos, poetas y actores,* Madrid, 1884, págs. 116-117. La sinfonía a la que se refiere el cartel era, en realidad, una obertura al modo de las de ópera que, por entonces, era el espectáculo teatral de mayor vitalidad y prestigio. Es presumible, pues, que en el Teatro del Príncipe hubiese una pequeña orquesta que acompañaba, además, algunas partes del drama, como se señala en el manuscrito de 1846 conservado en la Biblioteca Municipal de Madrid y al que luego nos referiremos.

ces[44], y para ello hubo de pedir prestado a un amigo un traje conveniente, anécdota que relata Ferrer del Río, testigo presencial de todo el acontecimiento, en un texto sobre García Gutiérrez publicado en 1846. Veamos cómo se produjo el famoso estreno:

> Anochecía el 1º de marzo de 1836, y ninguna de las localidades del teatro del Príncipe se hallaba vacía; preguntábanse unos a otros quién era el autor del *drama caballeresco* anunciado, y nadie le conocía. Alzado el telón se advertía un movimiento de curiosidad en todos los concurrentes, después una atención profunda, a las pocas escenas ya daban señales aprobatorias; al final del primer acto aplaudían todos. Crecía su interés en los actos sucesivos, se duplicaba su admiración al ver lo bien conducido del argumento, la novedad de sus giros, lo inesperado de sus situaciones, la lozanía de sus versos: ninguna escena se tuvo por prolija: no disonó una sola frase; no se perdió un solo concepto. Al caer el telón alcanzaba el drama los honores por otros conquistados; pero al frenético batir de palmas seguía un espectáculo nuevo, una distinción no otorgada hasta entonces en nuestra escena: el público pedía la salida del autor a las tablas, y con tanto afán, que no hubo quien se moviera de su asiento hasta conseguirlo. Don Carlos de la Torre y doña Concepción Rodríguez sacaban de la mano a García Gutiérrez notablemente afectado viéndose objeto de tan distinguido homenaje. Su situación era tan desvalida, que para salir delante del público con decencia le prestó un amigo (don Ventura de la Vega) su levita de miliciano, endosándosela de prisa entre bastidores. Al día siguiente no se hablaba en Madrid de otra cosa que del *drama caballeresco:* desde muy temprano asediaban el despacho de billetes ayudas de cámara y revendedores: los padres de familia más metódicos prometían a sus hijos llevarles al teatro, como si se tratara de una comedia de ma-

---

[44] La costumbre de saludar el autor al final de un estreno era ya común en Francia, aunque no en España. Entrambasaguas se refiere a Lope de Rueda como el primer actor-autor que lo realizó. Sobre esto puede consultarse la nota de Fernando Díaz-Plaja «¿Quién fue el primer autor que salió a saludar a escena?», en *Correo erudito,* III, Madrid, pág. 107. (Citado por Entrambasaguas en su ed. de las *Poesías* de García Gutiérrez, página XVII.)

gia: la primera edición del *Trovador* se vendía en dos semanas: se oían de boca en boca sus fáciles versos: se repetía su representación muchas noches: al autor se le concedía por la empresa un beneficio: caía a sus pies una corona, Mendizábal ponía en sus manos la licencia absoluta[45].

Basándose en este testimonio, que fue ampliamente divulgado en los círculos literarios y teatrales, Benito Pérez Galdós hizo una novelesca recreación que bien merece la pena conocer. No sabemos si el insigne literato olvidó que *El Trovador* tenía cinco actos y no cuatro o si conscientemente, lo puso así y el error hay que achacárselo a la excelentísima señora doña Pilar de Loaysa, marquesa de Arista y duquesa de Cardeña, que es la que relata lo sucedido en el estreno de nuestra obra:

¡Lo que te has perdido, badulaque, por meterte a politiquear en tonto! Si hubieras seguido formal y obediente, habrías asistido al estreno de *El Trovador,* en el Príncipe. ¡Qué bonito drama, qué versos primorosos! Pocas veces ha estado nuestro gran coliseo tan brillante como aquella noche... ¡Qué selecto gentío, qué lujo, qué elegancia! La obra es de esas que hacen llorar en algunos pasajes, y en otros encienden el entusiasmo. Quizás tú la conozcas; el autor es un jovencito de Chiclana que andaba contigo y con Miguel de los Santos. Cuentan que la presentó a Grimaldi hace unos meses, y que éste la estimó en poco, determinando que fuese estrenada en la Cruz. Carlos Latorre fue el primero que vio en *El Trovador,* por lectura, una obra de éxito probable, y algo de esto hubo de olfatear Guzmán, porque la escogió para su beneficio. La primera escena, en prosa, pasó bien; las siguientes, en verso, gustaron; todo el acto fue bien acogido. El segundo, con las escenas de la gitana, cautivó al público; el tercero le entusiasmó, y el cuarto le arrebató. Me parece a mi que este drama esconde una médula revolucionaria dentro de la vestidura caballeresca; en él se enaltece al pueblo, al hombre desamparado, de obscuro abolengo, formado y robustecido en la soledad: hijo, en fin, de sus obras; y salen mal libradas las clases supe-

[45] A. Ferrer del Río, *Galería de la Literatura Española,* págs. 257-258.

riores, presentadas como egoistas, tiránicas, sin ley ni humanidad. ¡Vaya con lo que sacan ahora estos niños nuevos! El hecho que constituye la patética emoción del final de la obra, aquello de resultar hermanos los dos rivales, también tiene su miga: no es otra cosa que el principio de igualdad, proclamado en forma dramática. Bueno, bueno. Si he de manifestar lo que pienso, no creo en la igualdad, digan lo que quieran poetas y filósofos. La prosa y el verso nos hablarán de igualdad sin lograr convencerme... Pero ello no quita que en el fingido mundo del teatro admitamos todas las ideas cuando el artificio que las expone es de buena ley; por eso aplaudimos a rabiar a este inspirado chico, después de haber mojado los pañuelos con nuestras lágrimas... Cree que en uno de los mejores pasajes me acordé de ti. Al trovador me le tienen encerradito en una torre, y allí coge el laúd y se pone a cantar. ¡Pobrecito! Y esto lo hace cuando ya le tienen en capilla y andan pidiendo por su alma los agonizantes. Pensaba yo si tendrás ahí guitarra o bandurria con que acompañar las trovas que eches al viento por la reja, y si habrá por la calle alguna naranjera que te oiga, y compadecida, riegue con sus lágrimas el feo muro de tu cárcel... Por fortuna, no estás condenado a muerte, aunque por menos de lo que tú haces le cortaron la cabeza al sin ventura Manrique... En fin, *El Trovador* gustó de veras, y no contento el público con aplaudir frenéticamente al autor, pidió que compareciese en las tablas. ¡Ay, qué paso y cuánto siento que no lo hubieras visto! ¡Cómo salió allí el pobre hijo, casi arrastrado por la Concha Rodríguez! Es una criatura; cayó soldado en la quinta de 100.000 hombres, y se hallaba de guarnición en Leganés, de donde ha venido a gozar este ruidoso triunfo... ¡Cómo estaría aquella pobre alma!, digo yo. No sé si tiene madre... Cuentan que en el teatro estaba vestidito de soldado, y que para salir a las tablas le quitaron el uniforme y le pusieron una levita de Ventura de la Vega. Esto me parece una tontería. Véase cómo los partidarios de la igualdad la contradicen en los actos corrientes de la vida. ¿Por qué no salió el hijo del pueblo con su verdadero traje a recibir el homenaje de las clases altas? ¿A qué esa levita, que es una nueva y postiza ficción? En fin, no hagas caso; no sé lo que digo. Continúo no creyendo en la igualdad.

Me han dicho que en los pasillos no se hablaba más que del drama y de los alientos que se trae este chico. Todo eran elogios, congratulaciones, calor de simpatía y esperanzas risueñas de días luminosos para la Literatura[46].

La fama de *El Trovador* se extendió rápidamente por toda España y, como luego veremos, también por Italia. Recurramos, de nuevo, esta vez más brevemente, a Benito Pérez Galdós que nos habla de un grupo de jóvenes aficionados al teatro que en el año de 1837 —es decir, al año siguiente del estreno, año también de la muerte de Larra— intentan representar *El Trovador* en un pueblo amenazado por la guerra civil —Villarcayo—:

> La obra elegida por las niñas es *El Trovador,* ¡ay de mí! Están locas con ese drama. Lo han leído no sé cuántas veces, y se lo saben de memoria. De Nicolasa, me ha dicho su madre que despierta a media noche declamando con sonora entonación los famosos versos del ensueño. Lo terrible es que se empeñan en que yo he de hacer el *Manrique,* creyendo que en este papel dejaré tamañito a Carlos Latorre. No sé cómo salir del paso. Trato de quitarles de la cabeza la idea de estrenarnos con obra tan difícil; no me llega la camisa al cuerpo pensando que tengo yo que salir vestido de trovadorcito, con mi laúd y todo, y soltar la andanada:
>
> > En una noche plácida y tranquila
> > que recuerdo, Leonor; nunca se aparta
> > de aquí, del corazón: la luna hería
> > con moribunda luz tu frente hermosa,
> > y de la noche el aura silenciosa
> > nuestros suspiros tiernos confundía.
>
> No, no me llama Dios por ese camino: lo haré muy mal. Ya les he dicho que debemos elegir *El sí de las niñas*[47].

Es, pues, innegable el impacto histórico que en la sociedad española produjo en los años 30 del pasado siglo una obra transida de pasiones encontradas, sucesos terribles, dulces ensoñaciones amorosas y pavoroso final. El estreno

[46] Pérez Galdós, *De Oñate a La Granja, Episodios Nacionales,* II, Madrid, Aguilar, 1971, págs. 1018-1019. La popularidad del *Trovador* y del protagonista que la estrenó, Carlos Latorre, puede observarse en *La Regenta* de «Clarín», caps. V, X y XVI.

[47] *La estafeta romántica, Episodios Nacionales,* III, Madrid, Aguilar, 1974, pág. 20.

de *El Trovador* había pasado, por derecho de sorprendente y merecida conquista, a los anales del más representativo teatro español.

El trasfondo histórico de *El Trovador*

Ya hemos visto cómo García Gutiérrez no se había mostrado excesivamente escrupuloso a la hora de respetar los hechos históricos en sus dramas. En su descargo puede decirse que la verdad dramática puede ser distinta y aun opuesta a la verdad histórica —tal sucede, con frecuencia, con los dramas históricos de Shakespeare, Lope de Vega, Calderón, Schiller o Hugo por citar sólo algunos ejemplos— pero también es cierto que con un pequeño esfuerzo de documentación histórica se hubiesen podido evitar innecesarias falsedades, lo que, además, no habría ido en detrimento de la calidad literaria y dramática de la obra.

La acción de *El Trovador* tiene lugar en Aragón, en el siglo XV —según reza la acotación. Luego veremos que las fechas son mucho más precisas. Por una parte se nos cuenta la terrible historia de la gitana y el hijo del conde, sucedida años atrás, en 1390 (jornada I, escena I); luego otros sucesos históricos que nos sirven para fijar fechas: el asesinato del arzobispo de Zaragoza (jornada II, escena I) y la batalla de Valencia (en realidad la de Murviedro, jornada V, escena III). El primer suceso tuvo lugar el 1 de junio de 1411 y el segundo en febrero de 1412. Estamos pues en los enfrentamientos civiles que ensangrentaron el reino de Aragón a la muerte de don Martín I el Humano, en mayo de 1410, que falleció sin descendencia directa.

El problema sucesorio se planteaba de la siguiente forma: en 1409 moría Martín el Joven, rey de Sicilia y heredero del trono de Aragón como hijo único y legítimo del Humano. El rey quiso nombrar sucesor a Fadrique de Luna, hijo natural de Martín el Joven y, por tanto, nieto suyo, pero no se atrevió dado su carácter de bastardo. Tocado de indolencia, el monarca no se dio excesiva prisa en solucionar el problema sucesorio y cuando se decidió a convocar una reunión de juristas era ya demasiado tarde. Martín I moría sin dejar testamento y ello daría origen a una grave crisis que tardaría dos años en solucionarse y que desencadenaría la guerra civil que sirve de trasfondo a *El Trovador*.

Nada menos que siete fueron los pretendientes a la corona: Alfonso de Gandía, nieto por línea masculina de Jaime II; sus dos hijos, Alfonso y Juan; el mencionado Fadrique de Luna; Luis de Calabria, nieto de Juan I pero por línea femenina y, por último, los dos más poderosos: el conde de Urgel, bisnieto de Alfonso el Benigno por línea masculina y Fernando, el de Antequera, nieto de Pedro III por línea femenina. Al parecer, y desde el punto estrictamente jurídico, el candidato con más derechos era Jaime de Urgel, que era el descendiente más directo por línea masculina de la casa real de Barcelona. Pero los intereses económicos, religiosos y políticos se mostraron más importantes que los legales y mientras algunas familias de la nobleza aragonesa apoyaban al de Urgel, otros se le oponían dando su apoyo al de Antequera, más por ir en contra de don Jaime que por favorecer al infante castellano. Entre las más poderosas familias de Aragón estaba la de los Luna, cuyos miembros intervinieron directamente en la guerra civil apoyando decididamente al conde de Urgel. En este aspecto, García Gutiérrez toma las cosas al revés pues hace a don Nuño, conde de Luna, enemigo del de Urgel. Como era de rigor, Manrique, el protagonista que ignora su noble cuna, es partidario de don Jaime y lucha en distinto bando que su hermano. De las otras familias de la aristocracia aragonesa de las que se habla en la obra, los Urrea eran partidarios de don Fernando y acérrimos enemigos del de Urgel; por el contrario, los Sesé apoyaron decididamente a don Jaime hasta el final.

Es de destacar García Gutiérrez hizo caso omiso del interregno en que vivió Aragón, entre el 31 de mayo de 1410 y el 24 de junio de 1412, pues en varias ocasiones se refiere al rey y a la reina (suponemos que aludirá al futuro Fernando I y a su esposa doña Leonor).

El grave problema se solucionó, al fin, por medio del llamado Compromiso de Caspe en el que nueve compromisarios —tres por cada reino de la corona: Aragón, Cataluña y Valencia— se reunieron para estudiar el problema sucesorio y dar un veredicto. Naturalmente que los intereses de las distintas partes entraron en juego y en particular los de la Iglesia; pues entre los compromisarios se encontraban el obispo de Huesca, el arzobispo de Tarragona, el confesor, el secretario y el abogado del papa Benedicto XIII, además de un monje cartujo. Al fin, después de dos meses, se dio el esperado veredicto —24 de junio de 1412— por el que don Fernando, el de Antequera, era elegido rey de Aragón por seis votos a favor, frente a dos del conde de Urgel y una abstención. En principio, don Jaime aceptó la resolución de los compromisarios, jurando obediencia al nuevo rey el 28 de octubre de 1412. Pero luego se retractó y con la colaboración de Antón de Luna, prosiguió imprudentemente la guerra contra el nuevo monarca. Fue vencido, procesado por alta traición y condenado a cadena perpetua, siendo confiscados todos sus bienes. Murió, en prisión, al poco tiempo (1413) al parecer envenenado.

No creo que el tema de las luchas civiles que aparecen en *El Trovador* sea un trasunto de la primera guerra carlista que en los momentos de su escritura y estreno había roto la paz en España. Es cierto que el asunto de las guerras civiles, como hemos indicado, es casi una constante en los dramas de nuestro autor, pero no hay ningún rasgo determinante que nos haga creer que García Gutiérrez estaba intentando realizar una trasposición de la realidad contemporánea. El escritor era liberal y, por entonces, partidario de la joven reina Cristina frente a las pretensiones absolutistas de don Carlos, pero ¿qué hay en *El Trovador* que permita suponer que los partidarios del conde de Urgel o de Fernando el de Antequera son los carlistas y los cristinos o viceversa? Sinceramente creo que nada. Las implicaciones políticas del autor se revelarán más adelante y, equivocadas o no, habrá que esperar a dramas como *El encubierto de Valencia*, *Venganza catalana* o *Juan Lorenzo* para poder apreciarlas[48].

---

[48] Tal vez la excepción sea *El sitio de Bilbao*, al que ya nos referimos,

El Trovador y el teatro de su tiempo

Cuando se producía el famoso estreno de *El Trovador,*
el teatro romántico español había ya conocido tres importantes novedades escénicas. En 1834 se presentaba *La conjuración de Venecia* de Martínez de la Rosa —el 23 de abril
en el Príncipe de Madrid— escrita, sin embargo, algunos
años antes y publicada en 1830 en París. La obra alcanzó
un éxito muy estimable y fue saludada incluso con entusiasmo por Larra[49]. Escrita en cinco actos y prosa es, por
su temática italiana, un drama que puede situarse en la línea de *La conjuración de Fiesco* (1783) de Schiller, *Marino
Faliero* (1821) y *Los dos Foscari* (1821) ambos de Byron,
Lucrecia Borgia (1833) y *Angelo, tirano de Pisa* (1835) de
Victor Hugo, una nueva versión de *Marino Faliero* (1829)
escrita por Delavigne, *Juan Dandolo* (1839) de García Gutiérrez y Zorrilla y *Simón Bocanegra* (1843) de García Gutiérrez, y ello sin referirnos a los grandes dramas de ambiente italiano del teatro isabelino inglés y a los de nuestro
Siglo de Oro (pensemos en *Otelo, el moro de Venecia* de
Shakespeare o *El castigo sin venganza* de Lope de Vega
por citar tan sólo dos obras maestras). *La conjuración de
Venecia* es una obra de indudable mérito, interés dramático y político que creo merecería una mayor difusión de la
no muy amplia que en la actualidad disfruta.

---

drama de circunstancias, casi de propaganda hagiográfica de Espartero, general cristino, que lo escribió en colaboración con Isidoro Gil.

[49] En una crónica de urgencia realizada la misma noche del estreno escribe Fígaro: «Con los ojos arrasados aún, con el corazón henchido de con-
trapuestos sentimientos, sólo encontramos expresiones para proclamar
esta representación como la primera de todas cuantas se han visto en Madrid, sobre todo con respecto a la perfección con que se ha puesto en escena. El público la ha coronado de aplausos» *(La Revista Española,* 24 de
abril). Al día siguiente apareció una amplia crítica en la misma revista
en la que destaca los aspectos políticos de la obra y en especial la dispo-
sición y contraste singulares del acto cuarto y del final del drama, que, curiosamente, no fue lo más aplaudido por el público.

En el mismo año de 1834, y pocos meses después, subía a la escena *Macías* de Larra —el 28 de septiembre, también en el Príncipe— escrita en cuatro actos y en verso, que aunque no tuvo gran éxito fue, sin duda, un importante eslabón en el camino del triunfo definitivo del teatro romántico. La importancia de *Macías,* al que luego nos referiremos más ampliamente en su relación con *El Trovador,* estriba no sólo en los acentos indudablemente románticos que recorren la obra, pese a que los ecos neoclásicos no se han extinguido todavía, sino en el carácter nacional del drama, faceta ésta que se habría de imponer como uno de los elementos más permanentes del romanticismo teatral, en un plano casi tan alto como el del amor y la muerte[50].

Al año siguiente, el estreno de *Don Alvaro o la fuerza del sino* del duque de Rivas —el 22 de marzo en el Príncipe— marcaba una fecha decisiva en los anales de nuestro teatro. Escrita en cinco actos, en prosa y verso, era una afirmación del nacionalismo español, de las tradiciones, leyendas y aun vivencias personales del autor; estaba escrita con una libertad, una pasión y un *pathos* romántico como no se conocían hasta entonces. Para algunos espectadores fue una revelación, para otros un exceso[51].

---

[50] Dice sobre esto Hartzenbusch: «(Larra) fijando por una parte la vista en el drama de Alejandro Dumas *Enrique Tercero y su corte* y por otra en las comedias del teatro antiguo español escritas sobre las desventuras de los amantes de Teruel y Macías, trazó y escribió un drama con este nombre, en variedad de metros, el primero que se vio de esta clase en España en el nuevo género revolucionario, género que para nosotros era tan viejo como la comedia de Lope *Porfiar hasta morir,* que tiene el mismo protagonista. El *Macías* de Larra, bien versificado, fue recibido sin extrañeza alguna y grandes aplausos.» Prólogo a las *Obras escogidas* de García Gutiérrez, Madrid, 1886, pág. XV.

[51] «Varia, atrevida, extensa y aun dilatada, comprendía cuadros de la escena cómica, situaciones eminentemente patéticas, excitaba el júbilo y el terror, producía lágrimas dulces, la inquietud fogosa de un vivo interés, el hielo del espanto. Representado en 1835, dejó asombrados, aterrados, atónitos a los espectadores; en su favor a muchos, en contra no pocos; (...). El tercer drama romántico representado en Madrid, que reproducía por completo las libertades de la comedia antigua, con alguna más, no triunfó sin resistencia vigorosa, después debilitada, y por último desvanecida.» *Ibid. id.*

Es indudable que estos dramas, además de los representados por esa misma época y originalmente franceses, conformaron la capacidad dramática de nuestro poeta para impulsarle a realizar *El Trovador*. Sería injusto atribuir a García Gutiérrez excesiva carga libresca y teatral. No olvidemos que cuando empieza a plasmar su obra cuenta sólo veintidós años. Cierto que un joven y apasionado romántico contemplaría las representaciones de las nuevas obras con un fervor casi religioso, pero el talento del novel autor logró filtrar todas, o casi todas, estas influencias y hacerlas propias. Uno de los rasgos más atractivos de *El Trovador* es precisamente el impulso y lozanía juveniles que lo presiden[52].

Podrían rastrearse aquí y allá coincidencias o semejanzas con el *Hernani* (1830) de Hugo, *La torre de Nesle* (1932) de Alexandre Dumas —presentada en Madrid después del estreno de *El Trovador,* el 3 de octubre de 1836, pero que sin duda García Gutiérrez conocía pues la había traducido y adaptado— o con cualesquiera de los otros títulos citados en la nota 51, pero *El Trovador* es, fundamentalmente, un drama propio y original.

Con la obra con la que, en ciertos aspectos, guarda una relación más estrecha es, con la tragedia *Macías* de Larra. Como ya señalamos, Larra estrenó su drama histórico en 1834, es decir dos años antes de que García Gutiérrez lograse llevar a la escena *El Trovador*. En su libro *The Romantic Dramas of García Gutiérrez*[53], Nicholson Adams

---

[52] Es de nuevo Hartzenbusch quien nos informa sobre la «invasión» de dramas de origen francés en estos años decisivos, inmediatamente anteriores al estreno de *El trovador;* «Entonces invadieron en tropel nuestra escena los dramas franceses. *Lucrecia Borgia* y *Angelo* de Victor Hugo; *Marino Faliero* y *Los hijos de Eduardo,* producciones de Casimiro Delavigne, *Ricardo Darlington* y *Teresa,* de Alejandro Dumas, sucedieron a *La fuerza del sino* en poco más de un año, en cuyo tiempo se estrenó también el *Alfredo* original de D. Joaquín Francisco Pacheco, y el *Aben Humeya,* uno y otro en prosa, los dos poco benignamente oídos.» *Ibid. id.* Para lo referente a las representaciones de los dramas mencionados y al número de funciones alcanzados, véase en la *Historia del movimiento romántico español,* de Peers, el capítulo «El teatro en Madrid: 1836» (páginas 341 a 357 del vol. I).

[53] Véase el capítulo III y en especial las págs. 68-79.

sostiene que *El Trovador* debe mucho a *Macías* tanto en un sentido general como en muchos pequeños detalles. El drama de Larra parece inspirado a su vez —según Nicholson— en el de Dumas *Henri III et sa cour* (1829) que Fígaro cita en el prólogo de su obra (pero cita también a otros muchos autores y títulos). Para el crítico norteamericano, Macías y Manrique son personajes paralelos: ambos son hombres apasionados, que encuentran muchas dificultades y obstáculos en su amor, tienen como oponentes a terribles rivales con los que se baten en duelo y además son trovadores. Por otra parte, las heroínas, Leonora y Elvira, se ven obligadas a casarse con hombres a los que detestan y prefieren meterse en un convento antes que vivir con un hombre al que no aman; al final prefieren el suicidio cuando toda esperanza de pertenecer al hombre deseado se ha desvanecido. Los «malos» de las dos obras son también similares: Don Nuño y Fernán Pérez son crueles, y nobles sólo por nacimiento, mientras que Guillén, hermano de Leonor y Nuño Hernández, padre de Elvira, son, asimismo, iguales: ambos desean un matrimonio de conveniencia sin tener en cuenta los sentimientos personales de las jóvenes. Para terminar con los personajes, Adams estima que los secundarios son también similares: Beatriz, la dueña de Elvira en *Macías,* y Jimena la confidente de Leonor; Fortún y Ruiz —figuras muy descoloridas— se asemejan por la fidelidad a sus señores y, por último, los soldados de Fernán Pérez desempeñan un papel paralelo a los de don Nuño.

Es evidente que hay semejanzas, pero éstas ni son decisivas ni profundas, sino más bien comunes a los héroes y heroínas del teatro romántico en general. El protagonista de estos dramas debe ser apasionado, audaz, lleno de nobleza y valor para terminar sucumbiendo ante el hado adverso. Así son Manrique y Macías pero también Hernani y Don Álvaro, Don Carlos y Fernando (en los dramas de Schiller *Don Carlos* y *Cábalas y amor)* por poner sólo algunos ejemplos. Pero son más las diferencias que separan a Manrique de Macías. El primero ignora que es de origen noble, ama a una mujer de rango superior y tiene el con-

Pero hay una última razón que demuestra, bien a las claras, que *El Trovador* no está inspirado, ni mucho menos copiado, de *Macías*. Y es el indiscutible testimonio del autor, de Larra, que realizó una magnífica crítica del famosísimo estreno. La comprensión que demuestra de la obra, tanto de sus defectos como de sus virtudes, es bien patente; pero en ningún momento da Fígaro señales de sentirse plagiado ni hay asomo o alusión, por leve que sea, de que el drama comentado tenga la menor relación con el suyo propio [54].

Luego de 1836, el teatro romántico español se enriquece y consolida con otros muchos dramas, entre los que destacan *Los amantes de Teruel* (1837) de Hartzenbusch, y *Don Juan Tenorio* (1844) de José Zorrilla. A partir de los años 40, el teatro romántico se desliza ya hacia su ocaso.

Estructura y temas

El Trovador está dividido en cinco jornadas o actos que, a su vez, se subdividen en varios cuadros que conforman doce cambios escénicos. Cada una de las jornadas lleva un título que nos guía sobre el contenido de las mismas, tal como, con frecuencia, sucede en las novelas románticas; los títulos son: «El duelo», «El convento», «La gitana», «La revelación» y «El suplicio». El amplio número de jornadas tiene antecedentes en el teatro inglés: todos los dramas de Shakespeare tienen cinco actos y más contemporáneamente a García Gutiérrez tenemos el ejemplo de Byron con su obra *Los dos Foscari;* en el teatro alemán, Schiller con *Don Carlos, La conjuración de Fiesco* o *Waldstein;* en el francés, Victor Hugo con *Hernani* o *El rey se divierte.* También en el teatro español encontramos antecedentes con cinco actos, ya dentro del teatro romántico: *La conjuración de Venecia* y *Don Álvaro.*

Los doce cuadros de la obra nos sitúan en lugares muy diversos, abiertos unos, cerrados los más. La diversidad rige

---

[54] Más adelante veremos con más detalle la crítica de Larra.

también en cuanto a los registros sociales que van desde el salón de un palacio real a la cabaña de una gitana, pasando por calles, calabozos, conventos y campamentos militares. La distribución de los actos y cuadros es la siguiente:

Jornada I.
> Cuadro I: escena I: sala en el palacio de la Aljafería.
> Cuadro II: Escenas II-V: cámara de doña Leonor en el palacio.

Jornada II.
> Cuadro I: escenas I-V: cámara de don Nuño.
> Cuadro II: escenas VI-VIII: locutorio de un convento.

Jornada III.
> Cuadro I: escenas I-III: interior de una cabaña.
> Cuadro II: escenas IV-V: una celda en el convento.
> Cuadro III: escenas VI-VIII: una calle.

Jornada IV.
> Cuadro I: escenas I-IV: un campamento con varias tiendas.
> Cuadro II: escenas V-IX: habitación de Leonor en la torre de Castellar.

Jornada V.
> Cuadro I: escenas I-II: inmediaciones de Zaragoza, junto a la Aljafería.
> Cuadro II: escenas III-V: cámara del conde de Luna.
> Cuadro III: escenas VI-IX: calabozo oscuro.

Esta diversidad era ya típicamente romántica pues rompía con los esquemas propios del teatro neoclásico y con su escrupuloso respeto por las unidades de acción, de tiempo y de lugar. El tiempo es también muy libre. Entre la primera y la segunda jornada ha transcurrido un año: en la escena I de la II jornada, dice don Nuño respondiendo a don Guillén, acerca de la herida recibida en el duelo con Manrique que tenía lugar al final de la primera jornada: «Un año hará / que la recibí, por Cristo:». En cambio, la segunda y la tercera jornadas puede afirmarse que son casi continuación una de otra: Manrique, que ha visto a Leonor en el convento al final de la segunda jornada, regresa a él en la tercera con sus hombres para rescatarla. Entre la tercera y la cuarta ha pasado también poco tiempo: Manrique

66

y Leonor se han refugiado en Castellar y las tropas del conde de Luna se disponen a atacar la fortaleza; otro tanto sucede entre las dos últimas jornadas: al final de la cuarta Manrique ha salido de Castellar para salvar a su madre, amenazada por la hoguera, siendo apresado por el conde. Ahora, al comenzar la quinta, se encuentra prisionero en un calabozo de la Aljafería.

El drama alterna con habilidad los momentos de especial tensión dramática con los de una relajación más lírica, alcanzándose un romántico equilibrio entre el reposo y la acción. Como ejemplo tomemos la escena VI de la jornada IV entre Manrique y Leonor en la que el protagonista le cuenta a su amada en términos altamente poéticos un sueño que ha tenido («soñaba yo que en silenciosa noche»); ese lirismo amoroso del trovador, entremezclado de tristes presentimientos, es interrumpido por la llegada de Ruiz que comunica a Manrique el avance de las tropas enemigas y el presentimiento de la gitana. Esta noticia hace que el trovador se vea obligado a partir para rescatar a su madre y explicar a Leonor lo oscuro de sus orígenes con vergonzosos acentos. Es decir, se ha pasado de una escena de calma a otra de gran agitación. Este elemento contrastante es otro de los recursos habituales que García Gutiérrez utiliza para dar variedad a su drama y también para crear un clima de equilibrio-desequilibrio que mantiene al espectador en vilo.

Otra característica estructural de la obra reside en cómo están construidos los finales de cada jornada. El autor ofrece en todos ellos una secuencia de gran dinamismo y de violencia más o menos expresa que, además, encierra una dosis nada desdeñable de «suspense». Veamos el final de cada una de las cinco jornadas. La primera termina con un duelo que está a punto de iniciarse y del que el espectador ignorará el desenlace hasta la jornada siguiente. En la segunda, el rapto de Leonor por los esbirros del conde de Luna se ve estorbado por la inesperada llegada de Manrique; la joven se desmaya y el espectador se pregunta qué pasará entre ambos amantes, ¿continuará ella de monja o huirá con el trovador pese a los votos sagrados? El final de la jornada tercera repite, en cierto modo, el de la segunda, sólo que ahora la tensión sube de grado. Manrique está de nuevo en el convento para llevarse a Leonor, pero apoyado esta vez por sus hombres, y el propio conde de Luna y don Guillén, el hermano de la heroína, son testigos del rescate en medio de gran tumulto y con las campanas del convento tocando a rebato. Ya se ha comentado el final de la IV jornada. En cuanto al telón definitivo, cae después de un verdadero «tour de force» que va «in crescendo» hasta alcanzar el paroxismo final: muerte por envenenamiento de Leonor, decapitación de Manrique, revelación de la verdad al conde y muerte de Azucena.

La estructura teatral de la obra se asienta además, en forma harto acertada, sobre los dos grandes temas que dominan el drama: el amor y la venganza. Aquí se halla uno de los principales méritos de *El Trovador*: el que frente al cúmulo de sucesos, que a veces más parecen propios de una novela que de un drama, esté siempre latiendo uno de los dos temas —o los dos simultáneamente— lo que otorga una decidida unidad conceptual a la tragedia. El amor era tema obligado en una obra perteneciente al nuevo teatro pero la venganza, aunque también habitual —recordemos la horrible venganza del duque Ruy Gómez de Silva en *Hernani* o la de los hermanos de Leonor en *Don Álvaro*—; jamás había estado tan ferozmente marcada como ahora con esa lucha tan esencialmente teatral entre amor y venganza que sostiene Azucena. Esto lo vio ya Larra desdde el primer momento:

> Sin embargo, no es la pasión dominante del drama el amor; otra pasión, si menos tierna, no menos terrible y poderosa, oscurece aquélla: la venganza. No hace mucho tiempo tuvimos ocasión de repetir que es perjudicial al efecto teatral la acumulación de tantos medios de mover; en *El Trovador* constituyen verdaderamente dos acciones principales, que en todas las partes del drama se revelan a nuestra vista rivalizando una con otra. Así es que hay dos exposiciones: una enterándonos del lance concerniente a la gitana, que constituye ella por sí sola una acción dramática; y otra poniéndonos al corriente del amor de Manrique, contrarrestado por el del conde, que constituye otra. Y dos

desenlaces: uno que termina con la muerte de Leonor la parte en que domina el amor; otro que da fin con la muerte de Manrique a la venganza de la gitana.

'Estas dos acciones dramáticas, no menos interesantes, no menos terribles una que otra, se hallan, a pesar de la duplicidad, tan perfectamente enclavijadas, tan dependientes entre sí, que fuera difícil separarlas sin recíproco perjuicio[55].

El tema del amor domina las dos primeras jornadas; el conflicto es claro: dos hombres enamorados de una misma mujer que luchan por ella. Lo enrevesado del drama estriba, precisamente, en que los dos rivales son hermanos sin saberlo. Naturalmente la heroína ama al mejor de ellos, al que es más valiente, más sensible y también más misterioso y desvalido.

El amor de Manrique y Leonor tiende, muy acertadamente, a conjugar pasión erótica y anhelo espiritual porque éste era un punto clave en la concepción romántica del amor. La mujer representaba no sólo la satisfacción de los sentidos sino también la de la inteligencia y aún otra cualidad que también está presente en *El Trovador:* el sentimiento religioso. Esto es importante porque una concepción del amor como pasión en la que se entremezcla el cuerpo, el espíritu y aún la religión era propia del mundo caballeresco que los trovadores medievales recrearon en sus poemas y canciones, y no olvidemos que *El Trovador* se califica de «drama caballeresco». Este amor apasionado nos pone en contacto con otro aspecto teórico del Romanticismo: el que las grandes pasiones amorosas sólo podrían tener cabida en almas nobles y elevadas; de ahí a un cierto clasismo, a una desigualdad social como punto de partida hay sólo un paso[56]. El artilugio, bien poco creíble por cier-

[55] La crítica de Larra puede consultarse en la ed. de Carlos Seco, *Artículos,* Barcelona, Planeta, 1964, págs. 924-929.

[56] Sobre estos aspectos puede consultarse el libro de H. G. Schenk, *The Mind of the European Romantics,* Londres, Oxford University Press, 1979, obra interesante pero que, a excepción de Goya, apenas se detiene en el mundo español. Existe traducción castellana con el título de *El espíritu de los románticos europeos,* México, Fondo de Cultura Económica, 1983.

to, de que un refinado trovador es hijo de una pobre gitana, no es más que eso: un artilugio ingenuo —pero que dio buen resultado al autor— para al final desvelarnos que el pretendido gitano era en realidad el hijo mayor del poderoso conde de Luna (y por tanto, ahora el conde), cosa que debía dejar a los espectadores muy tranquilos: el protagonista no era un representante de las clases bajas o marginadas sino que pertenecía a la más rancia nobleza de Aragón. El amor de la heroína es prototipo del amor romántico que es capaz de llevar su pasión hasta las últimas consecuencias, es decir hasta la muerte, prefiriendo el veneno a pertenecer a un hombre al que no sólo no ama sino al que desprecia.

A partir de la jornada III el tema de la venganza hace su desbordante aparición escénica encarnado en Azucena. Los hilos del amor y de la venganza, junto con el odio y el desprecio, se entremezclan con habilidad entre los cuatro protagonistas ya que, a partir de la jornada IV se establece un nuevo vínculo: don Nuño tiene en su poder a la gitana que arrojó a su hermano a la hoguera y arde en deseos de venganza, sentimiento que es compartido por Azucena ya que don Nuño es también el hijo del que ordenó quemar viva a su madre. Algo así podría ser el esquema temático pasional entre los personajes centrales del drama:

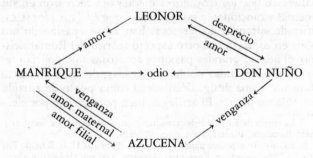

Pero además de estos dos grandes temas *El Trovador* nos ofrece otros que contribuyen a enriquecer su universo dramático, como el suicidio, el honor, la guerra civil.

El suicidio es una forma de protesta —la más radical junto con la revolución— y, desde luego, de gran atractivo entre los artistas y escritores románticos tanto en la narrativa como en el teatro: el protagonista de *Werther* se mata con una pistola, doña Elvira, en *Hernani*, bebe de una copa envenenada, don Álvaro se arroja al abismo en el drama homónimo del duque de Rivas, por poner unos ejemplos. E incluso algunos llevaron el suicidio hasta su propia vida, como el famoso caso de Larra.

El honor conecta el drama de García Gutiérrrez con nuestro teatro del Siglo de Oro y en especial con Calderón del que, sin duda, encontramos rasgos en toda la obra y, como se ha visto, en otros muchos dramas del autor. A falta de padre es el hermano, don Guillén, el que vela por el honor de la familia. Son varios los momentos en los que aflora este tema y, curiosamente, el poeta adopta un tono que nos recuerda de inmediato a Calderón[57]. Este, por ejemplo, en el que don Guillén, en conversación con don Nuño, se queja de la afrenta hecha a su nobleza por su hermana, que se encuentra con Manrique en la fortaleza de Castellar:

> Nuño   Albricias, don Guillén; hoy
>   recobráis vuestra hermana.
> Guillén   No sabéis cuál lo deseo,
>   por lavar la torpe mancha
>   que esa pérfida ha estampado
>   en el blasón de mis armas.
>   ¡Allí con su seductor!...
>   no quiero pensarlo...¡infamia
>   inaudita! ¡y está allí...
>   y yo no voy a arrancarla
>   con el corazón villano
>   el torpe amor que la abrasa!

[57] La admiración de García Gutiérrez por Calderón fue constante a lo largo de toda su carrera de escritor. De sus años finales (1881) data el texto poético de una *Cantata a Calderón* realizada en honor del gran dramaturgo. La música fue compuesta por Manuel Fernández Caballero (el autor de zarzuelas tan famosas como *Gigantes y cabezudos* y *La viejecita*) y la obra estrenada en el Teatro Real de Madrid el 30 de mayo de 1881. El poema es de escasa calidad y denota claramente que es obra de circunstancias.

Nuño	Sosegaos.
Guillén	No, no sosiega

el que así de su prosapia
ve el blasón envilecido...
Honrado nací en mi casa,
y a la tumba de mis padres
bajará mi honor sin mancha.

(Jornada IV, vv 13-30)

El tema de las guerras civiles, tan habitual en García Gutiérrez, ya ha sido comentado. Sólo queda resaltar que las
simpatías del escritor están, como siempre, dirigidas a los
que defienden la libertad frente al intento absolutista. En
El Trovador parece claro que los partidarios del conde de
Urgel, entre los que se encuentra Manrique, son los «bue-
nos» frente a los «malos» que siguen a don Fernando el
de Antequera, aunque, como se ha señalado, no creo que
sea posible establecer un perfecto paralelismo entre la situación política de *El Trovador* con la primera guerra carlista (1833-1840) que por entonces ensangrentaba España.

Otro de los temas que se encuentran en la obra, aunque
sólo sea tratado de manera incidental, es el de la fugacidad
del tiempo, de la juventud, de la felicidad, es decir el famoso tema del *ubi sunt* que tan cultivado fue en el barroco
español. La ensoñación, la ternura evocadora, la melanco-
lía no exenta de un leve toque de angustia, están presentes
en estos hermosos versos en los que Leonor alcanza su mejor expresión:

Tiempos en que amor solía
colmar piadoso mi afán,
¿qué os hicisteis?, ¿dónde están
vuestra gloria y mi alegría?
¿De amor el suspiro tierno
y aquel placer sin igual,
tan breve para mi mal,
aunque en mi memoria eterno?
Ya pasó... mi juventud
los tiranos marchitaron,
y a mi vida prepararon,
junto al ara el ataúd.

Ilusiones engañosas,
livianas como el placer,
no aumentéis mi padecer...
¡Sois por mi mal tan hermosas!

Otro tema interesante que se suscita en la obra es el conflicto que se establece entre las distintas clases sociales, en particular por lo que respecta a la situación del protagonista. Ya en la escena I de la jornada I, Guzmán, un criado, exclama refiriéndose a que el trovador aspira a conquistar a la noble dama de la reina, doña Leonor: «Y luego ¿quién es él? ¿dónde está el escudo de sus armas? Lo que me decía anoche el conde: Tal vez será algún noble pobretón, algún hidalgo de gotera.» Todos suponen que es, al menos, un hidalgo, ¿qué dirían si supiesen que se trata del hijo de una gitana? El tema de las diferencias de clase se reitera en la misma jornada; en los momentos en los que el trovador reta a don Nuño, éste se niega aduciendo: «¿Yo hasta vos he de bajar?» y poco después insiste: «No; que no sois, advertid/caballero como yo.» Manrique aspira a subir de clase social y así le dice a la gitana Azucena en la tercera jornada: «Mil veces, dentro, en mi corazón, os lo confieso, he deseado que no fuerais mi madre, no porque no os quiera con toda mi alma sino porque ambiciono un nombre, un nombre que me falta.» La insistencia en la nobleza de sus orígenes parece atormentar a don Guillén, tal vez porque carezca de dinero y sólo tenga su cuna: «Noble he nacido/ y noble, don Nuño soy», le dice a don Nuño e insiste en el tema del honor:

¿Quién más que yo
este enlace estimaría?
Mas si amengua mi hidalguía
no quiero tal dicha, no.

Esta diferencia de clases sirve también para poner a prueba el amor de la heroína. Manrique acaba confesando a su amante que es hijo de una gitana. Leonor reacciona, como era de esperar, con total generosidad, no importándole la extracción social del hombre que ama [58].

Hay en *El Trovador* dos momentos que parecen indicar en García Gutiérrez un cierto antisemitismo, aún cuando ese sentimiento no he podido detectarlo en obras posteriores (ni siquiera en *Samuel*, drama que, evidentemente, se prestaba a ello). El primer momento aparece en la jornada III, escena I, cuando Manrique, ante el nombre de Artal que Azucena le propone como ejemplo de apellido ilustre (que es el suyo en realidad), contesta: «No un Artal, no; es apellido que detesto. Primero el hijo de un confeso.» La palabra confeso está empleada con especial sentido peyorativo, máxime si tenemos en cuenta que está puesta en boca de un miembro de otra minoría marginada: un gitano. El segundo momento sucede en la escena I de la V jor-

---

[58] Este falso conflicto de clases lo hallamos asimismo en el *Don Álvaro* del duque de Rivas. Aquí, la desgracia que inicia la tragedia se debe a que el marqués de Calatrava, noble y sin dinero, desprecia al protagonista que sí tiene mucho dinero pero que es de oscuro origen. Cuando don Álvaro, descubierto su intento de fuga con Leonor, se entrega al orgulloso aristócrata para que lo mate, éste le responde con arrogancia:

> ¡Tú, morir a manos de un caballero!
> No, morirás a las del verdugo.

Más adelante, en la jornada IV, don Carlos de Vargas, hermano de Leonor, cuando don Álvaro le dice que es hombre de nobleza y pundonor, le contesta con desprecio:

> ¡Nobleza un aventurero!
> ¡Honor un desconocido!
> ¡Sin padre, sin apellido!
> ¡Advenedizo, altanero!

Pero en las postrimerías del drama sabremos que, en realidad, don Álvaro es hijo del virrey del Perú y de una princesa inca de sangre real. Su padre, acusado injustamente, había sido condenado a cadena perpetua pero, al fin, conocida la verdad, ha sido rehabilitado en todas sus honras y dignidades. Así, el verdadero conflicto dramático que podría derivarse de la relación amorosa entre dos miembros de clases sociales distintas —y separadas por leyes consuetudinarias— desaparece. Cualquier pretensión, pues, de analizar *El Trovador* o *Don Álvaro* desde una perspectiva de lucha de clases me parece por completo inviable.

nada; Leonor, por medio de Ruiz, ha comprado un brebaje venenoso a un judío que le ha llevado diez maravedíes de plata; el fiel escudero tacha al comerciante, «judío al fin», de Iscariote. Sinceramente no creo que García Gutiérrez fuese antisemita sino que estos ejemplos reflejan unos lugares comunes sobre los judíos que todavía estaban presentes en la primera mitad del siglo XIX (el segundo persiste todavía hoy). En cualquier caso le dan a la obra un toque de época pues en el siglo XV el antisemitismo estaba profundamente extendido por todos los reinos hispánicos.

Personajes y estilo

De los doce personajes con voz que actúan en la obra, cuatro son los que sustentan verdaderamente el drama: Manrique, Leonor, don Nuño y Azucena. Como era de rigor, el protagonista es el prototipo del héroe romántico: es noble, valeroso, audaz, apasionado, tierno, capaz de entonar una hermosa trova, entrar subrepticiamente en un convento en busca de la mujer amada o luchar bravamente por su rey. En realidad, el único conflicto que se le plantea es el de sus orígenes, que es, curiosamente, un conflicto que, por nacimiento tiene resuelto. Y, con todo ello, como buen héroe romántico perecerá ante los oscuros designios del destino. Pero no es sólo la muerte: Manrique verá —o no verá— todos sus afanes incumplidos: el pretendiente a la corona por el que lucha será derrotado, su amor apenas gozado, las dos mujeres que forman el corazón de su vida afectiva muertas ambas y, acaso como ironía, sólo el nombre ilustre de su familia le será reconocido póstumamente. En realidad, Manrique, como encarnación del espíritu romántico, es un perdedor.

Don Nuño, conde de Luna es, respondiendo al juego dramático, el antagonista de Manrique; es el poder y la victoria pero es también un ser profundamente desgraciado que no es correspondido en sus esperanzas amorosas; es el hombre duro capaz de penetrar en un convento e intentar llevarse por la fuerza a la mujer que desea, pero también

75

el amante burlado y herido en su amor y en su orgullo; su único gran triunfo, la muerte del odiado rival, se volverá contra él al conocer la espantosa verdad: Manrique era su hermano. Don Nuño es un personaje tan de una pieza como lo es el trovador y desempeña su antipático papel para hacer resaltar más el brillo del protagonista. Si cavilamos un momento veremos que su comportamiento y sus motivos guardan un estrecho paralelismo con los de su rival.

Las dos protagonistas femeninas son más interesantes. Leonor es la clásica heroína romántica capaz de vivir un gran amor y llegar al sacrificio supremo. Posee como mujer las virtudes que Manrique tiene como varón. Es también un prototipo. Su momento más acertado es la lucha que sostiene entre el amor profano que la arrastra hacia el trovador y el amor sagrado al que se siente vinculada por los votos pronunciados. Eso y también la evocación de los días felices que intuye jamás han de volver. Tal vez pueda reprochársele, no que se suicide, puesto que eso, al igual que los votos no cumplidos, es un rompimiento de la norma establecida (que, desde un punto de vista católico, le acarreará las penas del infierno) y por lo tanto aceptable como encarnación romántica, sino que engañe al conde no cumpliendo la promesa de ser suya. Sólo la fidelidad al amor puede disculpar el incumplimiento de la palabra dada.

Azucena es, con mucho, el personaje más logrado y original de la obra. Vinculada, como un leit-motiv musical, a la imagen de la hoguera, su desgarramiento interior, entre su inagotable sed de venganza y el profundo cariño maternal, constituye la verdadera entraña del personaje y aún de la obra. Perteneciente a una comunidad marginada, mujer vieja, obsesionada por la quema de su madre cuyo recuerdo la persigue sin reposo, Azucena posee un vigor, una fiereza y al mismo tiempo una desolada y primitiva ternura que hacen que sus apariciones escénicas conciten el mayor interés de los espectadores[59].

---

[59] Aunque mucho menos estudiada que la de los judíos, la marginación gitana ha sido una constante en la historia de esta minoría. A finales del

En general, los críticos han coincidido en otorgar a la gitana un papel fundamental pero terrible y aún excesivo, en el que sus deseos de venganza llegan a límites espeluznantes. Para Ernest Siciliano, Azucena no es, sin embargo una encarnación de la venganza. Ama demasiado a Manrique para vengarse de él. En las palabras finales con las que se cierra la tragedia y que el autor pone en boca de Azucena: «¡Ya estás vengada! (con un gesto de amargura, y expira)»», encuentra el mencionado crítico, no un gesto de triunfo sino de absoluto fracaso: « Estas palabras no son el grito de triunfo largamente deseado. Dirigidas a la madre, son un reproche en que rebosa la desesperación de un ser que lo ha perdido todo». Y añade: «¿Una gitana vengativa? ¡No! Azucena será harapienta y sucia y tendrá sus ribetes de bruja, pero sus palabras y sus acciones son de una madre que ama de veras»[60]. Interpretación ésta discutible pero interesante que no hace sino revelar la riqueza del personaje. En cualquier caso lo que sí parece evidente es que la visión de la hoguera está siempre en el ánimo de Azucena

---

siglo XV, exactamente el 4 de marzo de 1499, los Reyes Católicos promulgaron una Real cédula contra los «egipcianos», como entonces se les llamaba, en la que se les trata como a delincuentes. La figura del gitano no es muy frecuente en la Literatura Española aunque aparece, en ocasiones, a partir del siglo XVI (Lope de Rueda, Juan de Timoneda). El ejemplo más conocido es el de *La Gitanilla* de Cervantes en la que también aparece una falsa gitana que al final se descubrirá que es hija de familia noble.

[60] E. Siciliano, «La verdadera Azucena de *El Trovador*», *Nueva Revista de Filología Española*, XX, 1971, págs. 107-114. Muy distinta es la visión que tiene Blanco García para quien «el tipo de la gitana (...) en *El Trovador* es repulsivo y casi satánico. La mirada de Azucena, la pasión fría que le sugiere sus últimas palabras: «Ya estás vengada», cuando cae la cuchilla fatal sobre el desdichado trovador a quien llamó hijo tantos años; todo su porte, en fin, tan solapado e insidioso, de que es clave aquel grito aterrador, hiela la sangre en las venas», *op. cit.* págs. 221-222. Por su parte, Valvuena Prat, a quien *El Trovador* le parece una obra mediocre o algo peor («engendro juvenil y desigual»), dice con respecto a esta mujer: «Todo el tema de la hoguera y la narración del niño quemado, en la frustrada venganza que cuenta la gitana es del peor gusto y su impresión nada tiene que ver con la estética. Azucena es una creación falsa, como lo son los sentimientos de la época que se trata de reflejar», *Historia de la Literatura Española*, III, Barcelona, Gili, 1928, pág. 154.

y que el amor y la venganza son las dos pasiones encontradas que luchan en el corazón de esta mujer.

De entre los personajes secundarios destacan dos: Ruiz y don Guillén de Sesé. El primero es la fidelidad, el apoyo de Manrique y también de Leonor; sus intervenciones son muy numerosas a lo largo del drama pero todas ellas de muy breve duración; el segundo es un personaje gris cuya única misión escénica es la de salvaguardar el honor de la familia por medio de algunos parlamentos en los que, reiteradamente, proclama la nobleza e hidalguía de su cuna.

¿Cómo se expresan estos personajes? García Gutiérrez utiliza, por lo general, un tono lírico adecuado a cada individualidad y logra superar el problema de la siempre difícil armonía entre prosa y verso. Sobre este aspecto escribía Larra en su crítica:

> Diremos en conclusión que el autor, al decidirse a escribir en prosa y en verso su drama, adoptaba voluntariamente una nueva dificultad; es más difícil a un poeta escribir bien en prosa que en verso, porque la armonía del verso está encontrada en el ritmo y la rima, y en la prosa ha de crearla el escritor, pues la prosa tiene también su armonía peculiar; las escenas en prosa tenían el inconveniente de luchar con el sonsonete de las versificadas, de que no deja de prendarse algún tanto el público; y luego necesitaba el poeta desplegar aún tino en la determinación de las que había de escribir en prosa y las que había de versificar, pues que se entiende que no había de hacerlo a diestro y siniestro[61].

La polimetría de que hace gala la obra, rasgo habitual del teatro clásico español, está bien realizada y el autor muestra soltura en la composición de redondillas, sobre todo, pero también romances, silvas, quintillas y endecasílabos sueltos. Este estilo poético caracterizado por la fluidez, sienta bien al asunto, sobre todo en los momentos en los que los sentimientos expresados se enmarcan adecuadamente en un paisaje estilizado y lleno de resonancias mis-

---

[61] En su mencionada crítica, *op. cit.*, págs. 927-928.

teriosas; en especial la noche y la luna que aparecen en los instantes de más subido sabor romántico. A este respecto, son modélicas las realizaciones poéticas de la jornada I, escena IV en la que Leonor cuenta a Manrique la confusión surgida con el conde (vv. 132-154) y de la jornada IV escena VI, el monólogo del sueño de Manrique (vv. 178-224). Es también destacable el monólogo de Leonor en el acto III escena IV (vv. 9-52) en el que el poeta atina a expresar el ánimo doliente de la heroína con una elegancia no exenta de pasión.

El léxico es sencillo y sólo el empleo de algunos arcaísmos, verbales y nominales, y ciertas expresiones que sonaban rancias ya en la fecha del estreno pudieran suponer alguna dificultad para el lector. En nota a pie de página de nuestra edición se aclaran las palabras poco usuales.

El Trovador sigue conservando hoy un innegable sabor romántico como obra fundamental del teatro de su tiempo. Además de su indudable importancia histórica, la obra nos sigue ofreciendo una acabada expresión de ciertas pasiones humanas servida por un lenguaje literario de hermosa línea y musicalidad casi siempre inagotable[62]. Incluso la ingenuidad que a veces se desprende del exacerbado intento de impresionarnos, con una acumulación de horrores y sucesos trágicos, se transforma en una especie de encanto y sabor de época.

---

[62] Creo que se ha hecho poco hincapié en el tono eminentemente musical de muchos dramas románticos. No me parece una casualidad que bastantes de estos dramas fuesen convertidos en óperas por algunos de los compositores más importantes del siglo XIX. Citemos unos ejemplos: *Don Álvaro o la fuerza del sino* del duque de Rivas (*La forza del destino,* de Verdi), *Hernani* de Victor Hugo (*Ernani* de Verdi), *Le roi s'amuse* de Victor Hugo (*Rigoletto* de Verdi), *Wilhelm Tell* de Schiller (*Guillaume Tell* de Rossini), *Lucrèce Borgia* de Hugo (*Lucrezia Borgia* de Donizetti) y un amplio etcétera.

Versificación de la versión original

PRIMERA JORNADA
Esc. 1. Prosa
Esc. 2. Redondillas vv. 1-40
Esc. 3. Quintillas vv. 41-90
Esc. 4-5 Redondillas vv. 91-250

SEGUNDA JORNADA
Esc. 1. Redondillas vv. 1-92
Esc. 2. Redondillas vv. 93-100
      Prosa
Esc. 3-5. Prosa
Esc. 6. Romance vv. 101-138
Esc. 7-8. Redondillas vv. 139-198

TERCERA JORNADA
Esc. 1. Romance vv. 1-8
      Prosa
Esc. 2-3. Prosa
Esc. 4. Redondillas vv. 9-52
      Romance con desfecha vv. 53-64
      Redondilla vv. 65-68
Esc. 5. Endecasílabos sueltos vv. 69-176
Esc. 6-8. Prosa

CUARTA JORNADA
Esc. 1-4. Romance vv. 1-140
Esc. 5. Endecasílabos sueltos vv. 141-157
Esc. 6. Silva vv. 158-233, si bien no aparecen los versos
      heptasílabos hasta el verso 184.
Esc. 7. Redondillas vv. 234-261
Esc. 8. Romance vv. 262-323
Esc. 9. Redondillas vv. 324-335

QUINTA JORNADA
Esc. 1. Romance vv. 1-20
Esc. 2. Redondillas vv. 21-52
        Romance con desfecha vv. 53-58
        Redondilla vv. 59-62
        Romance con desfecha vv. 63-68
        Redondillas vv. 69-92
Esc. 3-4. Redondillas vv. 93-192
Esc. 5. Quintillas vv. 193-287
Esc. 6. Prosa.
        Redondillas vv. 288-295
Esc. 7. Redondillas vv. 296-437
Esc. 8-9. Romance heroico vv. 438-473

El manuscrito [63]

Se conserva un único manuscrito de *El Trovador* que debió pertenecer a alguna compañía teatral ya que, según veremos, se trata de un ejemplar destinado al apuntador de las representaciones.

El manuscrito se conserva en la Biblioteca del Museo Municipal de Madrid y lleva en la portada la fecha de Madrid 1846 y Madrid 1847. Para 1846 aparecen las notas: «1ª Ap.te F. N.» y «1er Ap.te J. B.» y para 1847: «1er Apunte M. Cueva».

Ello indica que en las representaciones de 1846 hubo dos apuntadores y en las de 1847 un sólo apuntador. «1er Ap.te J.B.» se repite en las portadas de todos los cuadernillos, cinco en total, correspondientes a cada jornada. Es posible, pero no seguro, que J.B. fuera el primer copista de este manuscrito que sigue, con pequeñas diferencias, la edición de 1836.

La letra es uniforme a lo largo de toda la obra, bastante clara, inclinada hacia la derecha y con mayúsculas de trazo

---

[63] Agradezco a Mercedes Ramos el meritorio trabajo que, bajo mi dirección, ha llevado a cabo sobre este tema.

amplio y enrevesado. Sólo en algunas notas marginales aparece una segunda letra que se corresponde con la nota:

Madrid 1er Apunte
1847 M. Cueva

y cuyo color de tinta, negro, difiere del color marrón del resto. Parece, por tanto, que la copia es de 1846 y se utilizó, con algunas notas, también para las representaciones de 1847.

Las acotaciones de la edición de 1846 están ampliadas de forma que deja clara la finalidad del manuscrito, puesto que tienden a precisar la escenografía y a facilitar la labor del apuntador. Las notas referentes a los actores sirven para indicar el momento en que deben prepararse para entrar en escena, además de señalar con precisión el lugar por el que deben hacer entradas. Dichas acotaciones están, por tanto, señaladas antes de los movimientos de los personajes.

En cuanto a las acotaciones, tenemos algunas que expresan con precisión la puesta en escena, tales como sillas, mesa, etc, numerosas notas sobre iluminación, como por ejemplo: «resplandor de hachas», predominando las notas que indican la oscuridad de la escena; y por último también, y especialmente, acotaciones que señalan el sonido que debe acompañar a las escenas: órgano y canto; campanas; Te Deum; ruido de armas etc.

Hay también algunas anotaciones que hacen suponer se suprimieron ciertas partes del texto.

El manuscrito, como ya se ha dicho, consta de cinco cuadernillos que corresponden a cada una de las jornadas, distribuido en el siguiente número de páginas interiores:

Cuaderno I, 34 páginas.
Cuaderno II, 25 páginas.
Cuaderno III, 32 páginas.
Cuaderno IV, 26 páginas.
Cuaderno V, 40 páginas.

un total, por tanto, de 157 páginas.

Está escrito en el tipo de papel denominado «en 8º», en hojas dobles de 20×26 centímetros.

Los títulos que preceden, en la edición de 1836, a cada una de las jornadas están aquí suprimidos. Por lo demás la única diferencia realmente notable con respecto a la mencionada edición es la existencia de ocho nuevos versos en la jornada IV, escena V y que deben ser apócrifos.

La versión en verso

En 1851 publicaba García Gutiérrez una nueva versión de *El Trovador* escrita esta vez totalmente en verso. Luego, en 1866, en la publicación del volumen de sus *Obras escogidas* que en beneficio del autor editó la Real Academia, bajo la supervisión del propio dramaturgo, *El Trovador* aparecía otra vez en su versión original de prosa y verso. Es, sin embargo, interesante conocer la nueva versión pues su autor no se limitó, como podría parecer lógico, a transformar en verso las partes en prosa sino que modificó asimismo otros aspectos de la obra, como los cambios de escena, que ahora se reducen a siete, algunos personajes y la adición o supresión de varios parlamentos. Véamos, de manera rápida, estas diferencias.

La jornada primera se desarrolla enteramente en el mismo lugar: la antecámara de Leonor en el palacio de la Aljafería. Se suprime un personaje, Fernando, criado del conde de Luna y aparece uno nuevo, Ortiz, criado de don Guillén.

La segunda jornada tiene toda ella lugar ante la reja del locutorio del convento de Nª Señora de Jerusalén, con lo que se suprime el decorado de la cámara de don Nuño y se añade un breve monólogo (dos redondillas) de don Guillén, además de varias pequeñas alteraciones en los diálogos.

La jornada tercera que en la versión original tenía tres cuadros, la cabaña de Azucena, la celda de Leonor en el convento y una calle, pasa ahora a tener sólo dos: la cabaña de la gitana y el huerto de las monjas de Belén. Se añade una breve conversación entre don Nuño y don Guillén en la escena III, así como la escena VII, entre Ruiz y un soldado y la VIII entre Ruiz y Manrique (ambas muy breves); en esta última destaca el monólogo del trovador que comienza «¡Pavorosa mansión/en cuyo espacio se encierra». Como contrapartida se suprime la escena VI de la versión original (entre Ruiz y un soldado, pero muy distinta a la añadida) y el romance « Camina a orillas del Ebro» que canta el trovador en la escena IV. Varias partes de esta jornada tienen su correspondencia en la jornada IV: la escena VI corresponde a la IV de dicha jornada y la IX a la III.

La IV jornada sucede íntegramente en una sala de la torre de Castellar mientras que en el drama original había dos cuadros: el campamento del conde de Luna y la habitación de Leonor en Castellar. Parte de la escena I entre Leonor y Ruiz es nueva como lo es parte de la III y toda la IV. Por su parte se suprimen las escenas I, VII (excepto el primer verso) y IX.

La jornada última se subdivide en dos partes. La primera tiene lugar en un salón del palacio de la Aljafería. La mayor parte de la escena I entre don Lope y Leonor es nueva, como lo es la totalidad de la escena IV entre los mismos personajes. La segunda parte de la jornada se sitúa en un oscuro calabozo y en él se sigue fielmente la versión original. Como decorado se suprime la cámara del conde de Luna, y las escenas que aquí ocurrían (III, IV y V) tienen ahora lugar en el salón de la Aljafería en el que se desarrolla toda la primera parte de esta V jornada.

Como puede observarse, además de la esencial transformación que supone el paso de la prosa al verso, hay otras muchas divergencias entre ambas versiones, lo cual hace aconsejable el que el lector interesado disponga también de la versión completa en verso. El paso de las partes en prosa a verso está realizado, en general, con excelente pulso y confirma, una vez más, la capacidad versificadora de García Gutiérrez. Veamos un ejemplo en el que puede apreciarse fácilmente la habilidad del poeta y cómo logra, siguiendo fielmente los pasos de la prosa, impregnar de lirismo y sentido poético la dureza dramática de la escena.

Pertenece a la escena III de la jornada III de ambas versiones. Azucena se queda sola después de que Manrique ha partido para rescatar a Leonor del convento:

> Se ha ido sin decirme nada, sin mirarme siquiera. ¡Ingrato! No parece sino que conoce mi secreto... ¡Ah! Que no sepa nunca... Si yo le dijera: «Tú no eres mi hijo; tu familia lleva un nombre esclarecido; no me perteneces...» Me despreciaría y me dejaría abandonada en la vejez. Estuvo en poco que no se lo descubriera... ¡Ah, no, no lo sabrá nunca!... ¿Por qué le perdoné la vida, sino para que fuera mi hijo?

> ¡Ingrato! ¡Ingrato! ¡Partió
> sin decirme una palabra
> de cariño! ¡Sin volver
> a su madre una mirada!
> —¡Su madre! ¡Oh Dios! ¡Que no sepa
> jamás de esa historia infausta
> la horrible verdad! ¡Que ignore
> el brillo de su prosapia!
> ¿Si le dijera, «tú no eres
> hijo mío; de más alta
> familia tienes origen»?...
> ¡Qué hiciera! ¡me despreciara!
> Verme en la fría vejez
> sola, triste, abandonada...
> ¡Oh! ¡no! ¡Que nunca lo sepa!
> Esta es mi sola venganza.
> ¿Y para qué le salvé
> la vida?

García Gutiérrez llevó a cabo esta refundición para su puesta en escena en el nuevo Teatro Español en 1851. La obra gana en unidad y, desde un punto de vista pragmático también en agilidad al haber menos cambios de decorado y, como consecuencia, ofrece una mayor economía para su puesta en escena. Sin embargo y pese a que las nuevas partes no desmerecen poéticamente del resto de la obra, la versión original ofrece mayor variedad y un sentido dramático más acusado. Es seguro que a mediados de siglo García Gutiérrez poseía un oficio teatral muy superior al de quince años antes pero no es menos cierto que la inspiración romántica de 1836 no estaba ya ahora en su apogeo. En conjunto, creo que la versión original es superior a la refundición; en cualquier caso es una experiencia interesante la lectura de ambas obras.

Versificación de la versión en verso

PRIMERA JORNADA
Esc. 1. Romance vv. 1-212
Esc. 2. Redondillas vv. 213-252
Esc. 3. Quintillas vv. 253-302
Esc. 4-5. Redondillas vv. 303-462

SEGUNDA JORNADA
Esc. 1. Redondillas vv. 1-128
Esc. 2. Redondillas vv. 129-136
       Romance vv. 137-184
Esc. 3-5. Romance vv. 185-276
Esc. 6-7. Redondillas vv. 277-335

TERCERA JORNADA
Esc. 1. Romance vv. 1-8
       Redondillas vv. 9-205
Esc. 2. Redondillas vv. 205-212
Esc. 3-6. Romance vv. 213-334
Esc. 7-9. Redondillas vv. 335-422
Esc. 10. Endecasílabos sueltos vv. 423-530
        Silva vv. 531-552, aún cuando sólo hay dos versos
        heptasílabos
Esc. 11. Silva vv. 552-553 (continuación de la anterior)

CUARTA JORNADA
Esc. 1-2. Silva vv. 1-107
Esc. 3-5. Redondillas vv. 108-231
Esc. 6-7. Romance vv. 232-329

QUINTA JORNADA
(1ª parte)
Esc. 1-2. Romance vv. 1-36
Esc. 3. Redondillas vv. 37-68
    Romance con desfecha vv. 69-74
    Redondilla vv. 75-78
    Romance con desfecha vv. 79-84
    Redondillas vv. 85-108
Esc. 4-6. Redondillas vv. 109-224
Esc. 7. Quintillas vv. 225-319
(2ª parte)
Esc. 1. Silva vv. 320-417
    Redondillas vv. 418-425
Esc. 2. Redondillas vv. 426-557
Esc. 3-4. Romance heroico 558-593

Los hijos del tío Tronera parodia de *El Trovador*

En el apartado «La obra dramática de García Gutiérrez» creo que pudo ya observarse cómo en las comedias de nuestro dramaturgo asomaba una vena cómica, de muy buena ley en ocasiones, y un hábil empleo de la ironía, que indicaban un evidente sentido del humor. Estas virtudes, que el tiempo no ha podido hacer desaparecer, se encuentran en su apogeo en esa extraña, divertida y salerosa parodia que es *Los hijos del tío Tronera*. Parodia de los terribles dramones románticos en general y nada menos que de *El Trovador* en particular.

La primera condición que debe esgrimir una persona dotada de un verdadero sentido humorístico es la capacidad para ironizar y reírse de sí misma. Y esto es lo que hace, de la manera más completa e imaginable, el gran dramaturgo romántico Antonio García Gutiérrez. La obra es un exceso, un disparate con tintes esperpénticos que siguiendo, paso a paso, la acción del célebre drama, nos ofrece situaciones hilarantes, una sátira feroz contra los excesos románticos: muertes, duelos, juramentos de amor, anagnórisis, fatalidades, misterios de familia y toda la abundante gama, de efectos y efectismos propios de los dramas de este periodo. El arrogante, apuesto y noble Manrique es ahora un vulgar ratero, Manolo, que está reñido con el alcalde del pueblo —la acción pasa de Aragón a Andalucía, concretamente a Dos Hermanas—, Bartolo (el conde de Luna) que lo persigue para prenderlo. Ambos están enamorados de Inesilla (doña Leonor) y luchan por ella. La terrible gitana Azucena es ahora otra gitana, a su modo no menos terrible: la tía Curra. Entre ellos se teje un drama caricaturesco en el que Inesilla se traga tres onzas de cardenillo, Bartolo manda a un alguacil que practique la ley de fugas con Manolo y la tía Curra descubre al final la verdad: Manolo no es su hijo; lo robó de niño al tío Tronera (el antiguo conde) padre de Bartolo. Ambos rivales eran, pues, hermanos. Con el grito final de Curra: «¡Ay maire! Ya te vengué» finaliza esta parodia en un acto.

Es interesante la utilización de un lenguaje tópicamente andaluz, de clara exageración, entreverado de vocablos caló. Veamos un ejemplo comparado de ambos dramas: el monólogo de Manrique en la jornada IV, escena VI, de *El Trovador*, relatando un sueño a su amada y paralelamente, el monólogo de Manolo en la escena VIII de *Los hijos del tío Tronera,* en idéntica postura ante la suya. He aquí los quince primeros versos de cada uno, en los que se puede perfectamente apreciar el paralelismo y la intención deformadora y degradante del autor.

> Soñaba yo que en silenciosa noche,
> cerca de la laguna que el pie besa
> del alto Castellar, contigo estaba.
> Todo en calma yacía; algún gemido
> melancólico y triste
> sólo llegaba lúgubre a mi oído.
> Trémulo como el viento en la laguna
> triste brillaba el resplandor siniestro
> de amarillenta luna.
> Sentado allí en su orilla y a tu lado
> pulsaba yo el laúd, y en dulce trova

tu belleza y mi amor tierno cantaba,
y en triste melodía
el viento que en las aguas murmuraba
mi canto y tus suspiros repetía.

Óyeme: la otra noche yo soñaba
que junto ar mesmo río catraviesa
er vesino Arcalá, contigo estaba.
Ná se movía ayí: tan solamente
er perro guardián de argún molino
ladraba tristemente.
Del agua turbia entre el raudal travieso
la luna aquí y ayí se rebuyía
reonda como un queso.
Ayí sobre la yerba recostao
y con tu durse vista enagenao,
cantaba en la guitarra mis amores,
y el viento que en los aires se sernía,
como quien jase burla, mis clamores
por la tierra y los sielos repetía.

Escrita con singular frescor, rapidez en las réplicas e ingenio en las ocurrencias escénicas *Los hijos del tío Tronera* es una especie de *Venganza de don Mendo, avant la lettre,* y no sería muy extraño que Muñoz Seca hubiese conocido esta obra y entrevisto sus posibilidades paródicas como modelo para su famoso drama.

El Trovador e *Il Trovatore* de Verdi[64]

En 1851, catorce años después del estreno de *El Trovador,* Giuseppe Verdi (1813-1901) —nacido el mismo año que nuestro autor— encargó al poeta Salvatore Cammara-

---

[64] Para un estudio más formalizado de la relación entre la obra de García Gutiérrez y la de Verdi puede consultarse mi artículo *«El Trovador de García Gutiérrez, drama y melodrama», Cuadernos Hispanoamericanos,* mayo, 1978. Además, el tema ha sido tratado en los siguientes trabajos: C. A. Regensburger, *Uber den «Trovador» des García Gutiérrez;*

no (1801-1852), colaborador habitual del maestro italiano, que le hiciese un libreto sobre el drama de García Gutiérrez *El Trovador* que Verdi había leído en el original español. En una carta de varios folios enviada, meses más tarde, al libretista por el compositor el 9 de abril de 1851 le da indicaciones precisas acerca de las líneas del libreto cuyo borrador Cammarano le había presentado. En este carta se muestra, de manera evidente, el profundo conocimiento que Verdi tenía del drama español y la enorme impresión que le había causado su lectura, hasta el punto de advertir al libretista: «Me tomo la libertad de decirle que si este tema no se puede tratar en nuestra obra con toda la novedad y bizarría del drama español, mejor es renunciar a ella.»

Cuando el libreto estaba a punto de ser concluido falleció Cammarano y hubo que buscar un nuevo libretista para que lo finalizase; Verdi lo confió a Emanuele Bardare quien llevó a cabo la tarea siguiendo el borrador dejado por Cammarano. Una vez terminado el libreto, éste hubo de pasar la censura. Conviene recordar el dominio austriaco de Italia y la situación casi abierta de guerra civil que entonces se vivía; también el poder de la Iglesia Católica y su profunda influencia en los asuntos públicos. Tal vez entonces no nos extrañe tanto algunos cambios que hubieron de realizarse en el inofensivo texto para que los censores diesen el visto bueno y la obra pudiera representarse: fueron suprimidas todas las palabras que nombraban a partidos o facciones políticas, así como las referencias expresas a la Iglesia y a cuestiones sagradas; y a la hora de ingerir el veneno la protagonista tuvo que hacerlo de espaldas al público, ya que el suicidio en escena y ante los espectadores estaba prohibido...

Por fin, la ópera se estrenó el 19 de enero de 1853 en Roma con éxito apoteósico, dándose a conocer enseguida

die Quelle von Verdis Opera «Il Trovatore», Berlín, Ebering, 1911; Z. Sacks, «Verdi and Spanish Romantic Drama», *Hispania*, XXVII, 1944; F. Canessa, «Salvatore Cammarano e il libretto ideale del *Trovatore»*, *Atti del III Congresso Internazionale di Studi verdiani*, Parma, 1974, páginas 14-19; D. R. Kimbell, *«Il Trovatore:* Cammarano and García Gutiérrez»*, ibíd.*, págs. 387-400.

en todos los grandes teatros de ópera del mundo: en 1854 en Viena y en París, en el 55 en Londres y San Petersburgo. En Madrid lo hizo de inmediato, el 16 de febrero de 1854 en el Teatro Real; fue un éxito extraordinario, representándose 17 veces consecutivas. Es de notar que en toda la historia operística del gran teatro madrileño (1850-1925), *Il Trovatore* fue la tercera ópera más representada (después de *Aida* y *Rigoletto)*, exactamente 320 veces.

En términos generales, el melodrama de Verdi (es decir el drama con música) responde perfectamente al romanticismo de la obra española. Los personajes, las situaciones y, lo que es más importante, el ámbito estético del «drama caballeresco» de García Gutiérrez están presentes en la ópera. Como es lógico hay ciertos cambios, pero éstos responden a las necesidades del género y tienen una explicación adecuada. En primer lugar los personajes. El poeta Cammarano los redujo de doce a nueve, cambió algún nombre y repitió otros. Don Nuño de Artal, conde de Luna pasa a llamarse sencillamente Il conte di Luna; Guzmán, Fernando y Jimeno, criados del conde, se funden en uno solo: Ferrando; don Manrique es Manrico; doña Leonor de Sesé, Leonora; su hermano don Guillén es suprimido y doña Jimena se convierte en Inés conservándose sin cambio alguno Azucena y Ruiz. La breve intervención de un viejo zíngaro es creación del libretista. Tal vez el mayor cambio se encuentre en los personajes mudos de García Gutiérrez: soldados, sacerdotes, monjas, es decir el conjunto de comparsas, que en la ópera son testigos con amplia voz: el coro, gran aportación del melodrama que recupera así uno de los puntos fundamentales del teatro griego. En la ópera, los gitanos, las monjas, los soldados, los seguidores de Manrique poseen un papel fundamental tanto en el desarrollo musical como en el estrictamente dramático. Los cinco actos o jornadas de *El Trovador* se reducen a cuatro en *Il Trovatore* dividiéndose cada uno de ellos en dos cuadros, lo que supone ocho cambios escénicos por once en el drama recitado. En este sentido, las diferencias son mínimas pues en la obra española hay dos cambios que responden al mismo decorado: la cámara de don Nuño (jornada I y V) y una estancia en Castellar (jornada III y IV). Sólo dos no coinciden: la cámara de Leonor en la Jornada I que se transforma en los jardines de la Aljafería en el acto I de la ópera y el interior de la cabaña de Azucena (jornada III) que lo hace en un campamento gitano (acto II de la ópera). Pero estos cambios están plenamente justificados: al pasar la acción a los jardines, es decir, de un espacio cerrado a otro abierto, puede suceder en escena lo que en García Gutiérrez es narrado: la confusión entre Manrique y el conde con el consiguiente duelo lo que, evidentemente, es más teatral y directo. Por otra parte, al pasar del interior de una cabaña (espacio cerrado de nuevo) a un campamento (espacio abierto) se permite la actuación del coro, aspecto, como hemos dicho, fundamental en la ópera. Dicho aspecto coral está presente en nada menos que seis de los ocho cuadros y en todos ellos, siguiendo a García Gutiérrez, encontramos espacios abiertos. Los cuatro actos llevan los siguientes títulos: «Il duello», «La gitana», «Il figlio della zingara» e «Il suplizio».

Siguiendo una tradición, bastante lógica por lo demás, el compositor otorga a los personajes más jóvenes las voces más agudas y a los de más edad las más graves. Manrique es un tenor al que se exige, tal y como es la creación de García Gutiérrez, que sepa cantar con lirismo pero también con tonos heroicos. En este sentido, el gran momento del protagonista sobreviene en el segundo cuadro del tercer acto, una especie de *tour de force,* con el recitativo inicial, el aria «Ah si ben mio», de preciosa expresión lírica, y la famosa cabaletta «Di quella pira», con el coro de soldados, que es pieza de bravura y momento especialmente deseado por los espectadores que aguardan, no sin cierto matiz morboso, si el trovador que corre a rescatar a la gitana de la pira dará y sostendrá el do de pecho con el que se corona el acto.

El personaje de Leonor está muy bien dibujado por Verdi, a medio camino entre la exquisitez y la pasión. La soprano tiene abundantes momentos de lucimiento, en especial en el primer cuadro del acto cuarto, cantado ante la torre del prisionero. Su aria «D'amor sull'ali rosee», de excelente línea y trazos de suprema elegancia y finura, sirve no sólo para revelarnos el alma de la desgraciada joven sino también de contraste con las brutales escenas del final. El conde de Luna, el barítono, es creación menos interesante que, al igual que en el drama español, está condenado a ser el «malo» o antihéroe. Sin embargo, su aria en el acto II, cuadro II, «Il balen del suo sorriso» nos ofrece unos momentos de emocionada nobleza en un personaje que ni en el drama ni en la ópera aparece esencialmente bien tratado por dramaturgo y compositor. Ferrando, el viejo criado que cuenta la historia de la gitana y el robo y quema del niño, es un bajo cuya única aparición importante sucede al iniciarse la ópera, en su *raconto* con el coro.

Probablemente, el personaje más interesante de *Il Trovatore* sea Azucena, la mezzosoprano. Verdi, apasionado por las relaciones paterno-filiales y por la venganza, vio en este ser primitivo y desgarrado entre el amor y la *vendetta,* la razón de ser de la obra. En la carta antes citada dice, refiriéndose al final de la ópera: «Azucena no es una demente. Abatida por el dolor, por el cansancio, por la vigilia, por el terror, no puede coordinar sus ideas. Tiene los sentidos oprimidos pero no está loca. Es necesario que conserve hasta el final las dos grandes pasiones de su vida: el amor por Manrique y la sed feroz de vengar a su madre. Muerto Manrique, el sentimiento de la venganza se hace inmenso, y dice con exaltación: *Si... egli era tuo fratello!... Stolto!... Sei vendicata, o madre!* Es además el personaje más fiel a García Gutiérrez y muchas de sus intervenciones están tomadas literalmente de la obra española. Su gran momento, «Stride la vampa» en el segundo acto, que sigue muy de cerca la escena I del tercer acto de García Gutiérrez, es una piedra de toque para cualquier mezzosoprano dramática. Veamos el paralelismo entre las dos secuencias:

El Trovador

AZUCENA *(canta):*
    Bramando está el pueblo indómito
    de la hoguera en derredor;

al ver ya cerca la víctima,
gritos lanza de furor.
Allí viene; el rostro pálido,
sus miradas de terror
brillan de la llama trémula
al siniestro resplandor.

Il Trovatore

AZUCENA *(canta):*
Stride la vampa! — La folla indomita
corre a quel fuoco — lieta in semblanza;
urli di gioia — d'intorno echeggiano:
cinta di sgherri — donna s'avanza!
Sinistra splende — sù volti orribili
la tetra fiamma — che s'alza al ciel!

Entre las partes más destacadas de la ópera figura el con-
certante con el que se cierra el segundo acto —que corresponde, con algunas libertades, a la jornada II del drama—
en el que intervienen los principales personajes, a excepción de Azucena, y tres coros: el de monjas que apoya a Leonor y los dos de soldados fieles a Manrique y al conde de
Luna. Los distintos sentimientos, expresados simultáneamente se funden en una unidad superior de gran belleza.
También, el *Miserere,* espléndido fragmento dramático en
el que las lamentaciones de Manrique, las angustias de Leonor y el canto lúgubre de los monjes componen una página inolvidable. Es además fiel a la obra española como puede observarse en esta confrontación:

El Trovador

Despacio viene la muerte,
que está sorda a mi clamor
para quien morir desea,
despacio viene, ¡por Dios!
¡Ay! ¡adiós Leonor!

Il Trovatore

Ah, che la morte ognore
e tarda nel venir
a chi desia morir!
Addio, Leonora, addio!

—que jamás decae—, la rapidez de acción o la habilidad para el diálogo —muy abundante en la novela—, recursos todos ellos muy efectivos en una narración romántica y de aventuras que no pretende sino entretener. Incluso intenta, y logra en buena medida, hacer más verosímiles ciertos episodios difíciles de creer en el drama, como la confusión en la quema del niño o el sueño de Azucena en la prisión que le impide detener el ajusticiamiento de Manrique. En la novela, por ejemplo, este último aspecto es más lógico: Manrique es condenado a muerte y llevado en una carreta hasta la plaza donde se encuentra el cadalso. Azucena no está presa sino que, enterada de la prisión del trovador, se dirige a Zaragoza para salvarlo revelando la verdad al conde de Luna. Naturalmente, sus esfuerzos son vanos porque el conde no le hace caso. Sólo cuando Manrique es decapitado se convence aquél de que era su hermano. Esto traerá como consecuencia el que don Nuño sienta unos terribles remordimientos y muera lamentando desconsoladamente la muerte del trovador, justo el día en el que se cumple el tercer aniversario de la decapitación.

Algunos personajes, de cierta importancia, no aparecen en la obra original. Tal es el caso de los dos pretendientes a la corona de Aragón, don Fernando, el de Antequera, y el conde de Urgell, que en el último capítulo de la novela mantienen una dramática entrevista, ganada ya la guerra por don Fernando, quien recibe a su enemigo en el palacio de la Aljafería como rey de Aragón.

Ciertos aspectos casi fugaces en el drama de García Gutiérrez, como el de su antisemitismo, son desarrollados con amplitud en la novela. Así, el capítulo XLIII titulado «El secreto de Samuel» en el que se narra la compra del veneno por Leonor en la casa de un avaricioso y aprovechado judío, que nos es descrito con toda la mala intención y los peores lugares comunes que suelen rodear a los comerciantes y prestamistas judíos en las obras literarias (recuérdese *El mercader de Venecia* de Shakespeare).

La capacidad del novelista, siguiendo las a veces leves indicaciones del original, para describir, comentar y narrar, es amplia y fácil. De este modo transforma la acotación de la escena VI de la jornada V del drama, que indica: «Calabozo oscuro con una ventana con reja a la izquierda y una puerta en el mismo lado; otra ventana alta en el fondo cerrada. Debajo de la ventana, y en un escaño, estará recostada Azucena; en el lado opuesto, Manrique sentado», según aparece en el capítulo XLV, titulado «La despedida»:

> La prisión de Manrique era un espacioso sótano de abovedado techo y oscuro en su mayor parte, porque la luz que entraba por una ventanilla con barrotes de hierro, se perdía en un reducido espacio como si le impidiese extender sus rayos la pesada y húmeda atmósfera que se respiraba allí. El silencio era profundo, y sólo de vez en cuando lo interrumpía el ruido siempre igual, breve y acompasado de una gota de agua que se desprendía de una grieta de la bóveda. La lobreguez, el frío y la calma de aquel recinto le daban el aspecto de un sepulcro, y como para aumentar el tormento y la tristeza del que lo habitase, no podía servirle la débil claridad que allí penetraba sino para recordarle que había una luz de que no podía gozar, un mundo que no era aquella pavorosa estancia.

En su conjunto, la novela de Ortega y Frías es una buena muestra del género que, posiblemente, representó en su tiempo el papel desempeñado hoy por las historias ilustradas o tebeos.

98

Esta edición

Se ofrece la versión original, en prosa y verso, de *El Trovador,* según la edición príncipe de 1836. Se ha tenido en cuenta además las diferencias con el manuscrito (**Ms.**) y con la edición contenida en las *Obras escogidas* del autor, publicada por la Real Academia en 1866 que contó con la colaboración de García Gutiérrez (**M. 66**). La razón para habernos decidido por la edición príncipe obedece a que si bien la de 1866 es la última que, que se sepa, corrigió en vida el autor, las diferencias son pequeñas y la primera está vinculada a una fecha ya histórica en el teatro español: *El Trovador* va unido indefectiblemente a 1836 y al triunfo de un nuevo tipo de teatro. La primera edición contenía algunas erratas que se han corregido. La puntuación era bastante caótica (por ejemplo las interrogaciones y las exclamaciones sólo tenían signos al final); el empleo de la coma, punto y coma, dos puntos y punto era también irregular y extraño. Se ha corregido pues la puntuación, y la ortografía se ha adecuado a las normas actuales.

Bibliografía selecta

La obra dramática de García Gutiérrez

Se incluyen en esta relación tan sólo sus obras originales.

El Trovador, Madrid, Repullés, 1836.
El Paje, Madrid, Sancha, 1837.
Magdalena, Madrid, Repullés, 1837.
El Bastardo, Madrid, Piñuela, 1838.
El rey monje, Madrid, Yenes, 1839.
Samuel, Madrid, Repullés, 1839.
El encubierto de Valencia, Madrid, Rivadeneyra, 1840.
Los desposorios de Inés, Madrid, Albert, 1840.
El caballero de industria, Madrid, Lalama, 1841.
El caballero leal, Madrid, Repullés, 1841.
Zaida, Madrid, Repullés, 1841.
El premio del vencedor, Madrid, Yenes, 1842.
Simón Bocanegra, Madrid, Yenes, 1843.
Las bodas de doña Sancha, Madrid, Yenes, 1843.
De un apuro otro mayor, Madrid, Repullés, 1843.
Gabriel, Madrid, Repullés, 1844.
Empeños de una venganza, Madrid, Repullés, 1844.
Los alcaldes de Valladolid, Mérida de Yucatán, Castillo, 1844.
La mujer valerosa, Mérida de Yucatán, Castillo, 1844.
El secreto del ahorcado, Mérida de Yucatán, Castillo, 1846.
Los hijos del tío Tronera, La Habana, 1846

Afectos de odio y amor, Madrid, Domínguez, 1850.
Los millonarios, Madrid, González, 1851.
La bondad sin la experiencia, Madrid, Rodríguez, 1855.
Un duelo a muerte[1], Madrid, Rodríguez, 1860.
Eclipse parcial, Madrid, Rodríguez, 1863.
Venganza catalana, Madrid, Rodríguez, 1864.
Las cañas se vuelven lanzas, Madrid, Rodríguez, 1864.
Juan Lorenzo, Madrid, Rodríguez, 1865.
Sendas opuestas, Madrid, Rodríguez, 1871.
Nobleza obliga, Madrid, López Vizcaíno, 1872.
Doña Urraca de Castilla, Madrid, López Vizcaíno, 1872.
Crisálida y mariposa, Madrid, López Vizcaíno, 1872.
Un cuento de niños, Madrid, Rodríguez, 1877.
Un grano de arena, Madrid, Rodríguez, 1880.

Ediciones de *El Trovador*

Lista selectiva

Durante el siglo XIX se hicieron, al menos, veinte ediciones de *El Trovador,* diecisiete de ellas en vida del autor. Diez se realizaron en Madrid, cinco en Zaragoza y una en Salamanca, Campeche (Méjico), Méjico, Montevideo y Leipzig. De todas ellas, las tres más importantes son:

Madrid, Repullés, 1836 (edición príncipe).
Madrid, Ocaña, 1851 (1.ª ed. de la versión en verso).
Madrid, Rivadeneyra, 1866 *(Obras escogidas,* ed. promovida por la Real Academia).

En lo que va de siglo se han realizado otras tantas, algunas de ellas ediciones comentadas. De entre éstas destacamos:

Ed. de H. H. Vaughan, con vocabulario y notas, Boston, Heath, 1908.

---

[1] Aunque inspirada en *Emilia Galotti* de Lessing, la lectura de ambos dramas permite considerar *Un duelo a muerte* como una obra prácticamente original.

Ed. de A. Bonilla y Sanmartín, Madrid, Clásicos de la Literatura Española, 1916.

Ed. de H. Davis y F. Tamayo, con introducción, ejercicios, notas y vocabulario, Colorado, Apex, 1916.

Ed. de P. Rogers, con introducción, ejercicios, notas y vocabulario, Boston, Ginn, 1925.

Ed. de H. Vaughan y M. de Vitis, con ejercicios, notas y vocabulario, Boston, Heath, 1930.

Ed. de J. Hesse, con prólogo y notas, Madrid, Aguilar, 1964.

Ed. de A. R. Fernández González, con introducción y notas, Salamanca, Anaya, 1965.

Ed. de J. Alcina Franch, en *Teatro Romántico,* Barcelona, Bruguera, 1968.

Ed. de A. Blecua, con prólogo y notas de J. Casalduero, Barcelona, Labor, 1972.

Ed. de A. Rodríguez, con prólogo y notas, Zaragoza, Ebro, 1972.

Ed. de J. L. Picoche y colaboradores, con estudio y notas, Madrid, Alhambra, 1972.

Ed. de A. Rey Hazas, con introducción y notas, Barcelona, Plaza y Janés, 1984.

De las ediciones modernas, la más completa es la de J. L. Picoche, aunque, a mi juicio, sus opiniones no son siempre atinadas y las excesivas notas resultan, en ocasiones, obvias o un tanto fuera de lugar. La edición de A. Rey Hazas es, en conjunto, la más recomendable y ofrece una amplia introducción expuesta con claridad y excelente sentido pedagógico.

MANUSCRITO

De *El Trovador* se conserva un único manuscrito que se guarda en la Biblioteca del Museo Municipal de Madrid. Versión en prosa y verso que data de 1846 (Signatura T-70; L. 35 N. 46).

BIBLIOGRAFÍA SOBRE *EL TROVADOR,* SU AUTOR Y SU ÉPOCA

ADAMS, Nicholson, *The Romantic Dramas of García Gutiérrez,* Nueva York, Instituto de las Españas, 1922.

BLANCO GARCÍA, Francisco, *La Literatura Española en el siglo XIX,* 3.ª ed., I, Madrid, Saenz de Jubera, 1909.

CALDERA, Ermanno, *Il drama romantico in Spagna,* Pisa, Universidad, 1974.

ENTRAMBASAGUAS, Joaquín de, «La realidad de *El Trovador*», *Miscelánea erudita,* Madrid, 1957, págs. 79-80.

— Prólogo a la ed. de *Poesías de Antonio García Gutiérrez,* Madrid, Aldus, 1947.

FERRER DEL RÍO, Antonio, *Galería de la Literatura Española,* Madrid, Mellado, 1846.

GARCÍA, Salvador, *Las ideas literarias en España entre 1840 y 1850,* University of California, 1971.

GIES, David, «The plurality of Spanish Romanticism», *Hispanic Review,* XLIX, 1981.

GODOY GALLARDO, E., «El amor como destino en el teatro romántico español», *Revista chilena de Literatura,* 16-17, 1980-81.

GUAZA Y GÓMEZ DE TALAVERA, *Músicos, poetas y actores,* Madrid, 1884.

IRANZO, Carmen, *Antonio García Gutiérrez,* Boston, Twayne, 1980.

KIMBELL, David, «*Il Trovatore:* Cammarano and García Gutiérrez», *Atti del III Congresso Internazionale di studi verdiani,* Parma, 1974, págs. 34-44.

LARRA, Mariano José de, «Crítica al estreno de *El Trovador*», en *Artículos,* ed. de C. Seco Serrano, Barcelona, Planeta, 1964, págs. 924-929.

LÓPEZ FUNES, Enrique, *Don Antonio García Gutiérrez,* Madrid, Suárez, 1900 y Cádiz, Álvarez, 1900.

LLORENS, Vicente, *El Romanticismo español,* Madrid, Castalia, 1979.

MENARINI, Pietro, *El teatro romántico español (1830-1850),* Bolonia, Atesa, 1982.

NAVAS RUIZ, Ricardo, *El Romanticismo español,* Salamanca, Anaya, 1970.

NOMBELA, Julio, *Retratos a la pluma,* en *Obras completas,* vol. III, Madrid, 1904.

PEERS, Allison, *Historia del movimiento romántico español,* 2 vols., Madrid, Gredos, 1967.

PIÑEYRO, Enrique, *El Romanticismo en España,* París, 1904.

REGENSBURGER, C. A., *Uber den «Trovador» des García Gutiérrez; die Quelle von Verdis Oper «Il Trovatore»,* Berlín, Ebering, 1911.

RUIZ DÍAZ, Adolfo, «Motivos románticos europeos en *El Trovador* de García Gutiérrez», *Revista di Letterature Moderne,* XIII, 1973, págs. 151-190.

RUIZ SILVA, Carlos, *«El Trovador* de García Gutiérrez, drama y melodrama», *Cuadernos Hispanoamericanos,* mayo, 1978.

— «Política y guerras civiles en la obra de García Gutiérrez», *Cuadernos Hispanoamericanos,* enero, 1985.

SACKS, Z., «Verdi and Spanish Romantic Drama», *Hispania,* XXVII, 1944, págs. 451-465.

SEBOLD, Russell, *Trayectoria del Romanticismo español,* Barcelona, Crítica, 1983.

SICILIANO, E. A., «La verdadera Azucena de *El Trovador», Nueva Revista de Filología Española,* XX, 1971, páginas 107-114.

EL TROVADOR

DRAMA CABALLERESCO

EN CINCO JORNADAS

EN PROSA Y VERSO[1]

SU AUTOR

DON ANTONIO GARCIA GUTIE-RREZ

MADRID

Imprenta de Repullés

1836

---

[1] M. 66 añade: «Representado por primera vez en el Teatro del Príncipe el día 1º de marzo de 1836.»

PERSONAJES[2]	ACTORES[3]
D. Nuño de Artal, *conde de Luna*	D. J. Romea
D. Manrique	D. C. Latorre
D. Guillén de Sesé	D. F. Romea
D. Lope de Urrea	D. P. López
D.ª Leonor de Sesé[4]	D.ª C. Rodríguez
D.ª Jimena	D.ª I. Boldán
Azucena[5]	D.ª B. Lamadrid
Guzmán *(criado del Conde de Luna)*	D. N. Lombía.
Jimeno *(criado del Conde de Luna)*	D. J. Fabiani
Ferrando *(criado del Conde de Luna)*	D. J. Guzmán
Ruiz, *(criado de D. Manrique[6])*	D. G. Monreal
Un soldado[7].	
Soldados.	
Sacerdotes[8].	
Religiosas.	

Aragón. Siglo XV

---

[2] M. 66. «Personas.»
[3] En Ms. y M. 66 no figuran ya la lista de los actores que estrenan la obra.
[4] Ms. añade: «dama de la reyna de Aragón.»
[5] Ms. «La Azucena, Gitana.»
[6] Ms. «criado de Manrique.»
[7] Ms. se omite.
[8] Ms. se omite.

JORNADA PRIMERA
El Duelo [1]

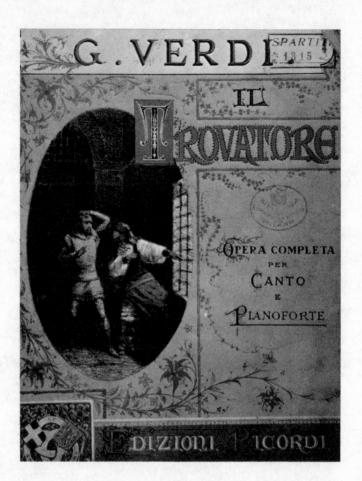

Zaragoza: sala corta[2] en el palacio de la Aljafería[3].

ESCENA PRIMERA

GUZMÁN, JIMENO, FERRANDO   *(Sentados[4])*

JIMENO   Nadie mejor que yo puede saber esa historia, como que hace muy cerca de cuarenta años que estoy al servicio de los condes de Luna[5].

FERRANDO   Siempre me lo han contado de diverso modo.

GUZMÁN   Y como se abultan tanto las cosas...

JIMENO   Yo os lo contaré tal como ello pasó por los años de 1390[6]. El conde don Lope de Artal[7] vivía regular-

---

[2] *sala corta*: recurso escénico motivado por los numerosos cambios de decoración. La sala no ha de ocupar la totalidad del escenario, para disimular por detrás los demás decorados, que se descubrirán a su tiempo. (Picoche)

[3] *Palacio de la Aljafería:* se atribuye su construcción al rey moro de Zaragoza Aben-Aljafe (864-889) (de ahí su nombre) que lo hizo residencia oficial de los reyes de la ciudad, continuando como palacio real de los reyes cristianos de Aragón. Se halla extramuros de la ciudad, próximo a la puerta llamada del Portillo. Entre sus dependencias había un lugar cercano donde se corrían toros y se celebraban torneos. El actual edificio tiene elementos árabes, góticos, renacentistas y otros aditamentos del siglo XVIII. Existe un calabozo al que popularmente llaman «calabozo del trovador».

[4] Ms. añade «Mesa, botella, basos (sic), dados y sillas.»

[5] *Condes de Luna*: poderoso título de Aragón. Véase el apartado «Trasfondo histórico de *El Trovador.*»

[6] 1390: La acción de la tragedia se extiende, pues, desde 1390 a 1412, año de la batalla de Valencia (jornada V).

[7] *Artal*: ilustre apellido vinculado a los Luna. En la jornada III, Man-

mente en Zaragoza, como que siempre estaba al lado de
Su Alteza[8]. Tenía dos niños: el uno que es don Nuño,
nuestro muy querido amo, y contaba entonces seis meses poco más o menos, y el mayor que tendría dos años,
llamado don Juan. Una noche entró en la casa del conde
una de esas vagamundas[9], una gitana con ribetes de bruja, y, sin decir palabra, se deslizó hacia la cámara donde
dormía el mayorcito. Era ya bastante vieja...

FERRANDO   ¿Vieja y gitana? Bruja sin duda.

JIMENO   Se sentó a su lado, y le estuvo mirando largo rato
sin apartar de él los ojos un instante[10], pero los criados
la vieron y la arrojaron a palos. Desde aquel día empezó
a enflaquecer el niño, a llorar continuamente; y por último, a los pocos días cayó gravemente enfermo: la pícara[11] de la bruja le había hechizado.

GUZMÁN   ¡Diantre![12].

JIMENO   Y aun su aya aseguró que en el silencio de la noche había oído varias veces que andaba alguien en su habitación, y que una legión de brujas jugaban con el niño
a la pelota, sacudiéndole furiosas contra la pared.

FERRANDO   ¡Qué horror! Yo me hubiera muerto de miedo.

JIMENO   Todo esto alarmó al conde, y tomó sus medidas para pillar a la gitana: cayó efectivamente en el gar-

---

rique que ansía tener un apellido perteneciente a la nobleza y, que cree
ser hijo de la gitana Azucena, le dice a su madre: «Si yo fuese un Lanuza,
un Urrea...», a lo que contesta la gitana: «Un Artal...».

[8] El rey Juan I (1387-1395). Hasta Carlos I los diferentes reyes hispánicos no llevaron el título de Majestad, de ahí que la alusión sea al título
de Alteza.

[9] *Vagamundas:* arcaísmo, vagabundas.

[10] Es lo que se conoce como mal de ojo, creencia popular muy extendida.

[11] *pícara:* baja, ruin, falta de honra y vergüenza. La palabra tiene hoy
un sentido mucho más suave, tal vez debido a la simpatía con la que ve-
mos a los personajes de la picaresca española de la Edad de Oro y pese
a que la Real Academia sigue recogiendo la mencionada definición como
primera acepción.

[12] *diantre:* eufemismo por diablo. «Es voz vulgar y muy usada de los
ignorantes, pareciéndoles que con la mudanza de las letras evitan la ma-
licia de la significación.» *(Autoridades).*

112

lito[13], y al otro día fue quemada públicamente para escarmiento de viejas.

GUZMÁN   ¡Cuánto me alegro! ¿Y el chico?

JIMENO   Empezó a engordar inmediatamente.

FERRANDO   Eso era natural.

JIMENO   Y a guiarse por mis consejos hubiera sido también tostada la hija, la hija de la hechicera.

FERRANDO   ¡Pues por supuesto...! Dime con quién andas...

JIMENO   No quisieron entenderme, y bien pronto tuvieron lugar de arrepentirse.

GUZMÁN   ¡Cómo!

JIMENO   Desapareció el niño, que estaba ya tan rollizo que daba gusto verle; se le buscó por todas partes; y ¿sabéis lo que se encontró?: una hoguera recién apagada en el sitio donde murió la hechicera, y el esqueleto achicharrado del niño.

FERRANDO   ¡Cáspita! Y ¿no la atenacearon?[14].

JIMENO   Buenas ganas teníamos todos de verla arder por vía de ensayo para el infierno; pero no pudimos atraparla; y sin embargo, si la viese ahora...

GUZMÁN   ¿La conoceríais?

JIMENO   A pesar de los años que han pasado, sin duda.

FERRANDO   Pero también apostaría yo[15] cien florines[16] a que el alma de su madre está ardiendo ahora en las parrillas de Satanás.

GUZMÁN   Se entiende.

JIMENO   Pues... mis dudas tengo yo en cuanto a eso.

GUZMÁN   ¿Qué decís?

JIMENO   Desde el suceso que acabo de contaros[17] no ha de-

---

[13] *garlito*: celada, lazo o acechanza. El garlito es una especie de red para atrapar peces.

[14] *atenacear:* suplicio que consistía en «sacar pedazos de carne a uno con tenazas ardiendo. Es género de muerte que se da en castigo a delitos enormes y muy atroces.» *(Autoridades)*.

[15] En Ms. se omite «yo».

[16] *florín*: moneda de oro mandada acuñar por Pedro IV de Aragón en 1346, siguiendo el modelo de las monedas florentinas (de ahí su nombre). Estuvo en curso hasta el reinado de Cralos I.

[17] En Ms. «contar».

jado de haber lances diabólicos... yo diría que el alma de la gitana tiene demasiado que hacer para irse tan pronto al infierno.

FERRANDO   ¡Jum...!, ¡jum...!

JIMENO   ¿He dicho algo?

FERRANDO   Preguntádmelo a mí.

GUZMÁN   ¿La habéis visto?

FERRANDO   Más de una vez.

GUZMÁN   ¿A la gitana...?

FERRANDO   No, ¡qué disparate!, no... al alma de la gitana: unas veces bajo la figura de un cuervo negro; de noche regularmente en buho. Últimamente, noches pasadas, se transformó en lechuza[18].

GUZMÁN   ¡Cáspita!

JIMENO   Adelante.

FERRANDO   Y se entró en mi cuarto a sorberse el aceite de mi lámpara[19]; yo empecé a rezar un padrenuestro en voz baja... Ni por esas: apagó la luz y me empezó a mirar ¡con unos ojos tan relucientes!, se me erizó el cabello; ¡tenía un no sé qué de diabólico y de infernal aquel espantoso animalejo! Últimamente, empezó a revolotear por la alcoba... yo sentí en mi boca el frío beso de un labio inmundo, di un grito de terror exclamando: ¡Jesús! y la bruja, espantada, lanzó un prolongado chillido precipitándose furiosa por la ventana.

GUZMÁN   ¡Me contáis cosas estupendas! Y en pago del buen rato que me habéis hecho pasar, voy a contaros otras no menos raras y curiosas, pero que tienen la ventaja de ser más recientes.

FERRANDO   ¡Cómo!

---

[18] En Ms. se omite «en lechuza». El que el alma de las brujas se encarnase en aves nocturnas y de mal agüero era una superstición muy extendida.

[19] Sobre este aspecto dice el excelente tratado *El mundo de los animales:* «Según una creencia popular muy extendida en la Europa mediterránea, la lechuza gusta mucho del aceite de oliva, puesto que lo sorbía de las lámparas. Por supuesto, tal afirmación, de origen puramente supersticioso, carece de cualquier tipo de fundamento.» *Op. cit.* V, Barcelona, 1970, pág. 142.

GUZMÁN   Se entiende que nada de esto debe traslucirse, porque es una cosa que sólo a mí, a mí particularmente, se me ha confiado.

JIMENO   Pero, ¿de quién?

GUZMÁN   De otro modo me mataría el conde.

FERRANDO y JIMENO   ¡El conde!

GUZMÁN   Pero todo ello no es nada, nada, travesuras[20] de la juventud. ¿No sabéis que está perdidamente enamorado de doña Leonor de Sesé?[21].

JIMENO   La hermana de don Guillén, de ese hidalgo orgulloso...

FERRANDO   La más hermosa dama del servicio de la reina[22].

GUZMÁN   Seguro.

FERRANDO   Y que está tan enamorada de aquel trovador que en tiempos de antaño venía a quitarnos el sueño por la noche con su cántico sempiterno.

GUZMÁN   Y que viene todavía.

JIMENO   ¡Cómo! Pues, ¿no dicen que está con el conde de Urgel[23], que en mal hora[24] naciera, ayudándole a conquistar la corona de Aragón?

GUZMÁN   Pues a pesar de eso...

FERRANDO   Atreverse a galantear a una de las primeras damas de Su Alteza. Un hombre sin solar[25], digo, que sepamos.

---

[20] En Ms. «travesura».

[21] *Sesé:* familia noble de Aragón. En la obra representa más bien un apellido con prosapia pero sin poderío político o económico.

[22] Debe tratarse de un *lapsus* del dramaturgo, ya que estamos en un periodo sin rey, a no ser que los servidores tratasen ya a don Fernando, al de Antequera, como soberano de Aragón y por lo tanto a su esposa, doña Leonor de Alburquerque, con la que había contraído matrimonio en 1395, como reina.

[23] *el conde de Urgel:* don Jaime, pretendiente al trono aragonés como descendiente de los reyes de Aragón por línea masculina. Véase el apartado «El trasfondo político de *El Trovador*».

[24] En M. 66 «en mala hora».

[25] *solar:* linaje noble. Un hidalgo de solar era el que poseía una casa solariega o descendía de familia que la tenía.

JIMENO   No negaréis sin embargo que es un caballero valiente y galán.

GUZMÁN   Sí, eso sí; pero en cuanto a lo demás... Y luego, ¿quién es él?, ¿dónde está el escudo de sus armas? Lo que me decía anoche el conde: «Tal vez será algún noble pobretón, algún hidalgo de gotera»[26].

JIMENO   Pero al cuento.

GUZMÁN   Al cuento: ya sabéis que yo gozo de la confianza del conde; anoche me dijo, estando los dos solos en su cuarto: «Escucha, Guzmán, quiero que me acompañes; sólo a ti me atrevo a confiar mis designios, porque siempre me has sido fiel; esta noche ha de ser fatal para mí, o he de llegar al colmo de la felicidad suprema.» Sígueme, añadió; y atravesó con paso precipitado las galerías[27], instruyéndome en el camino de su proyecto.

JIMENO   ¿Y qué?

GUZMÁN   Su intento era entrar en la habitación de Leonor, para lo cual se había proporcionado una llave.

JIMENO   ¡Cómo...! ¡En palacio...! Y ¿se atrevió al fin?

GUZMÁN   Entró efectivamente; pero en el momento mismo, cuando lleno de amor y de esperanza se le figuraba que iba a tocar la felicidad suprema, un preludio del laúd del maldito trovador vino a sacarle de su delirio.

FERRANDO   ¡Del trovador!

GUZMÁN   Del mismo; estaba en el jardín. Allí, dijo don Nuño con un acento terrible, allí estará también ella; y bajó furioso la escalera. La noche era oscurísima; el importuno cantor, que nunca pulsó el laúd a peor tiempo, se retiró creyendo sin duda que era mi amo algún curioso escudero; a poco rato bajó la virtuosa Leonor, y equivocando a mi señor con su amante, le condujo silenciosamente a lo más oculto del jardín. Bien pronto las atrevidas palabras del conde le hicieron conocer con quién se las había... La luna, hasta entonces prudentemente en-

---

[26] *hidalgo de gotera:* el que únicamente en un pueblo gozaba de los privilegios de su hidalguía, de tal manera que los perdía en mudando su domicilio.

[27] En Ms. «la galería».

116

cubierta con una nube espesísima, hizo brillar un instante el acero del celoso cantor delante del pecho de mi amo; poco duró el combate; la espada del conde cayó a los pies de su rival, y un momento después ya no había un alma en todo el jardín.

JIMENO   Y, ¿no os parece, como a mí, que el conde hace muy mal en exponer así su vida? Y si llegan a saber Sus Altezas semejantes locuras...

GUZMÁN   ¡Calle...! Parece que se ha levantado ya...

JIMENO   Temprano para lo que ha dormido.

FERRANDO   Los enamorados dicen que no duermen.

GUZMÁN   Vamos allá, no nos eche de menos.

FERRANDO   Y hoy que estará de mala guisa.

JIMENO   Sí, vamos.

ESCENA II

Cámara de DOÑA LEONOR *en el palacio*[28].

GUILLÉN   Mil quejas tengo que daros
           si oírme, hermana, queréis.

LEONOR   Hablar, don Guillén, podéis,
           que pronta estoy a escucharos.
           Si a hablar del conde venís   5
           que será en vano os advierto,
           y me enojaré por cierto
           si en tal tema persistís.

GUILLÉN   Poco estimáis, Leonor,
           el brillo de vuestra cuna   10
           menospreciando al de Luna
           por un simple trovador.
           ¿Qué vísteis, hermana, en él
           para así tratarle impía?
           ¿No supera en bizarría   15
           al más apuesto doncel?
           A caballo, en el torneo

---

[28] En M. 66 la acotación aparece antes de «Escena II».

	¿no admirásteis su pujanza?	
	A los botes[29] de su lanza...	
LEONOR	Que cayó de un bote creo.	20
GUILLÉN	En fin, mi palabra di	
	de que suya habéis de ser,	
	y cumplirla he menester.	
LEONOR	Y vos, ¿disponéis de mí?	
GUILLÉN	O soy o no vuestro hermano.	25
LEONOR	Nunca lo fuerais, por Dios,	
	que me dio mi madre en vos	
	en vez de amigo un tirano.	
GUILLÉN	En fin, ya os dije mi intento;	
	ved cómo se ha de cumplir.	30
LEONOR	No lo esperéis.	
GUILLÉN	O vivir	
	encerrada en un convento.	
LEONOR	Lo del convento más bien.	
GUILLÉN	¿Eso tu audacia responde?	
LEONOR	Que nunca seré del conde...	35
	nunca: ¿lo oís, don Guillén?	
GUILLÉN	Yo haré que mi voluntad	
	se cumpla, aunque os pese a vos.	
LEONOR	Idos, hermano, con Dios.	
GUILLÉN	¡Leonor...! a Dios os quedad.	40

ESCENA III

LEONOR, JIMENA.

LEONOR	¿Lo oíste? ¡Negra fortuna!	
	Ya ni esperanza ninguna,	
	ningún consuelo me resta.	
JIMENA	Mas, ¿por qué por el de Luna	
	tanto empeño manifiesta?	45
LEONOR	Esa soberbia ambición	
	que le ciega y le devora	

---

[29] *bote:* golpe que se da con ciertas armas como lanzas o picas.

	es ¡triste! mi perdición.	
	Y ¡quiere que al que me adora	
	arroje del corazón!	50
	Yo al conde no puedo amar,	
	le detesto con el alma;	
	él vino, ¡ay Dios!, a turbar	
	de mi corazón la calma	
	y mi dicha a emponzoñar.	55
	¿Por qué perseguirme así?	
JIMENA	Desde anoche le aborrezco	
	más y más.	
LEONOR	Yo que creí	
	que era Manrique... ¡ay de mí!,	
	todavía me estremezco.	60
	Por él me aborrece ya.	
JIMENA	¿Don Manrique?	
LEONOR	Sí, Jimena.	
JIMENA	De vuestro amor dudará.	
LEONOR	Celoso del conde está,	
	y sin culpa me condena.	65
JIMENA	¿Siempre llorando, mi amiga?	
	No cesas...	
LEONOR	Llorando, sí;	
	yo para llorar nací;	
	mi negra estrella enemiga,	
	mi suerte lo quiere así.	70
	Despreciada, aborrecida	
	del que amante idolatré,	
	¿qué es ya para mí la vida?	
	Y él creyó que envilecida	
	vendiera a otro amor mi fe.	75
	No, jamás... la pompa, el oro,	
	guárdelos el conde allá;	
	ven, trovador, y mi lloro	
	te dirá cómo te adoro,	
	y mi angustia te dirá.	80
	Mírame aquí prosternada;	
	ven a calmar la inquietud	
	de esta mujer desdichada:	

119

	tuyo es mi amor, mi virtud...	
	¿Me quieres más humillada?	85
JIMENA	¿Qué haces, Leonor?	
LEONOR	Yo no sé...	
	alguien viene.	
JIMENA	¡Él es, por Dios!	
	¡Y dudabas de su fe!	
LEONOR	¡Jimena!	
JIMENA	Te estorbaré...[30]	
	solos os dejo a los dos.	90

ESCENA IV

LEONOR, MANRIQUE (Rebozado)

LEONOR	¡Manrique!, ¿eres tú?	
MANRIQUE	Yo, sí...	
	no tembléis.	
LEONOR	No tiemblo yo;	
	mas si alguno entrar te vio...	
MANRIQUE	Nadie.	
LEONOR	¿Qué buscas aquí?	
	¿Qué buscas...? ¡Ah!, por piedad...	95
MANRIQUE	¿Os pesa de mi venida?	
LEONOR	No, Manrique, por mi vida;	
	me buscáis[31] a mí, ¿es verdad?	
	Sí, sí... yo apenas pudiera	
	tanta ventura creer;	100
	¿lo ves?, lloro de placer.	
MANRIQUE	¡Quién, perjura, te creyera!	
LEONOR	¿Perjura?	
MANRIQUE	Mil veces sí...	
	mas no pienses que insensato	
	a obligar a un pecho ingrato	105
	a implorarte vine aquí.	

---

[30] En Ms. «Cerca estaré».
[31] En M. 66 «me buscas».

	No vengo lleno de amor	
	cual un tiempo...	
LEONOR	¡Desdichada!	
MANRIQUE	¿Tembláis?	
LEONOR	No, no tengo nada...	

                                     mas temo vuestro
                                       [furor[32].   110

           ¡Quién dijo, Manrique, quién,
           que yo olvidarte pudiera
           infiel, y tu amor vendiera,
           tu amor, que es sólo mi bien!
           Mis lágrimas, ¿no bastaron   115
           a arrancar de tu razón
           esa funesta ilusión?

MANRIQUE	Harto tiempo me engañaron.	
	Demasiado te creí	
	mientras tierna me halagabas	120
	y, pérfida, me engañabas.	
	¡Qué necio, qué necio fui!	
	Pero no, no impunemente	
	gozarás de tu traición...	
	yo partiré el corazón	125
	de ese rival insolente.	
	¡Tus lágrimas! ¿Yo creer	
	pudiera, Leonor, en ellas	
	cuando con tiernas querellas	
	a otro halagabas ayer?	130
	¿No te vi yo mismo?, ¡di!	
LEONOR	Sí, pero juzgué engañada	
	que eras tú; con voz pausada	
	cantar una trova oí.	
	Era tu voz, tu laúd,	135
	era el canto seductor	
	de un amante trovador	
	lleno de tierna inquietud.	
	Turbada perdí mi calma,	
	se estremeció el corazón,	140

---

[32] En M. 66 «pero temo tu rigor».

121

y una celeste ilusión
me abrasó de amor el alma.
Me pareció que te vía[33]
en la oscuridad profunda,
que a la luna moribunda   145
tù penacho descubría.
Me figuré verte allí
con melancólica frente
suspirando tristemente
tal vez, Manrique, por mí.   150
No me engañaba... un temblor
me sobrecogió un instante...
era sin duda mi amante,
era, ¡ay Dios! mi trovador.

MANRIQUE   Si fuera verdad, mi vida   155
y mil vidas que tuviera,
ángel hermoso, te diera.

LEONOR   ¿No te soy aborrecida?

MANRIQUE   ¿Tú, Leonor? Pues, ¿por quién
así en Zaragoza entrara,   160
por quién la muerte arrostrara
sino por ti, por mi bien?
¡Aborrecerte! ¿Quién pudo
aborrecerte, Leonor?

LEONOR   ¿No dudas ya de mi amor,   165
Manrique?

MANRIQUE   No, ya no dudo.
Ni así pudiera vivir;
me amas, ¿es verdad? Lo creo,
porque creerte deseo
para amarte y existir.   170
Porque me fuera la muerte[34]
más grata que tu desdén.

---

[33] *vía*: forma arcaica de veís.
[34] La edición de 1836 y la M. 66 dicen «Porque la muerte me fuerza»;
el Ms., en cambio, pone el verso tal y como se ha corregido aquí por exi-
gencias de la rima (muerte con verte).

122

LEONOR	¡Trovador!
MANRIQUE	No más; ya es bien
	que parta.
LEONOR	¿No vuelvo a verte?
MANRIQUE	Hoy no, muy tarde será.
LEONOR	¿Tan pronto te marchas?
MANRIQUE	Hoy;
	ya se sabe que aquí estoy;
	buscándome están quizá.
LEONOR	Sí, vete.
MANRIQUE	Muy pronto fiel
	me verás, Leonor, mi gloria,
	cuando el cielo dé victoria
	a las armas del de Urgel.
	Retírate... viene alguno.
LEONOR	¡Es el conde!
MANRIQUE	Vete.
LEONOR	¡Cielos!
MANRIQUE	Mal os curásteis mis celos...[35]
	¿Qué busca aquí este importuno?

Líneas: 175, 180, 185

ESCENA V

MANRIQUE, DON NUÑO.

NUÑO	¿Qué hombre es este?
MANRIQUE	Guárdeos Dios
	muchos años, el de Luna.
NUÑO	(¡Pesia[36] mi negra fortuna!)
MANRIQUE	Caballero, hablo con vos:
	si porque encubierto estoy...

Línea: 190

---

[35] En Ms. aparece la acotación «Vanse», aunque debería decir «vase» puesto que se refiere a Leonor (Jimena se supone que ya se ha ido pese a que no hay acotación al respecto).

[36] ¡Pesia!: interjección de desazón o enfado. De ahí se deriva el verbo pesiar: echar maldiciones y reniegos.

NUÑO	Si decirme algo tenéis descubrid...
MANRIQUE	¿Me conocéis? *(Descubriéndose*[37].*)*
NUÑO	¡Vos, Manrique!
MANRIQUE	El mismo soy.
NUÑO	Cuando a la ley sois infiel 195 y cuando proscrito estáis, ¿así en palacio os entráis partidario del de Urgel?
MANRIQUE	¿Debo temer por ventura, conde, de vos?
NUÑO	Un traidor... 200
MANRIQUE	Nunca; vuestro mismo honor de vos mismo me asegura. Siempre fuisteis caballero.
NUÑO	¿Qué buscáis, Manrique, aquí?
MANRIQUE	A vos, señor conde.
NUÑO	¿A mí? 205 Para qué saber espero.
MANRIQUE	¿No lo adivináis?
NUÑO	Tal vez.
MANRIQUE	Siempre enemigos los dos hemos sido.
NUÑO	Sí, por Dios.
MANRIQUE	Pensáislo con madurez. 210
NUÑO	Pienso que atrevido y necio anduvisteis en retar a quien débeos contestar tan sólo con el desprecio. ¿Qué hay de común en los dos? 215 Habláis al conde de Luna, hidalgo de pobre cuna.
MANRIQUE	Y bueno tal como vos. En fin, ¿no admitís el duelo?
NUÑO	¿Y lo pudisteis pensar? 220 ¿yo hasta vos he de bajar?
MANRIQUE	No me insultéis, vive el cielo,

---

[37] En Ms. la acotación dice «*(Desembozándose)*».

124

	que si la espada desnudo	
	la vil lengua os cortaré.	
NUÑO	¿A mí, villano? No sé	225
	(Saca la espada.)	
	cómo en castigarte dudo.	
	Mas tú lo quieres.	
MANRIQUE	Salgamos.	
NUÑO	Sacad el infame acero.	
MANRIQUE	Don Nuño, fuera os espero;	
	cuidad que en palacio estamos[38].	230
NUÑO	Cobarde, no escucho nada.	
MANRIQUE	Ved, conde, que os engañáis...	
	¡Vos... vos cobarde llamáis	
	al que es dueño de esta espada!	
NUÑO	La mía... Y lo sufro, no...	235
MANRIQUE	A recobrarla venid.	
NUÑO	No, que no sois, advertid,	
	caballero como yo.	
MANRIQUE	Tal vez os equivocáis.	
	Y habladme con más espacio[39]	240
	mientra[40] estamos en palacio.	
	Os aguardo.	
NUÑO	¿Dónde vais?	
MANRIQUE	Al campo, don Nuño voy,	
	donde probaros espero	
	que si vos sois caballero...	245
	caballero también soy.	
NUÑO	¿Os atrevéis...?	
MANRIQUE	Sí, venid.	
NUÑO	Trovador, no me insultéis	
	si en algo el vivir tenéis.	
MANRIQUE	Don Nuño, pronto, salid.	250

---

[38] Los duelos estaban legalmente prohibidos, y máxime en un palacio, tanto por la autoridad civil como por la eclesiástica, aún cuando socialmente fuera práctica común y reconocida entre hombres de honor.

[39] *espacio:* arcaísmo por despacio, la acepción de «prevenir a uno para que se modere en lo que va hablando, en lo que va a hacer con audacia, con viveza demasiada o fuera de razón.» *(Autoridades).*

[40] *mientra:* arcaísmo por mientras.

JORNADA SEGUNDA
El Convento

Cámara de DON NUÑO[1]

ESCENA PRIMERA

DON NUÑO, DON GUILLÉN.

NUÑO	¿Don Guillén?
GUILLÉN	Guárdeos el cielo.
NUÑO	¿Qué hay de nuevo en la ciudad?
GUILLÉN	¡Qué! ¿Aún no sabéis...?
NUÑO	Asentad[2].
GUILLÉN	Todos lloran sin consuelo.
NUÑO	¡Cómo!
GUILLÉN	La traición impía

que en yermo a Aragón convierte,
dio al arzobispo la muerte[3].

NUÑO   ¿Qué decís? ¿A don García?

5

---

[1] En Ms. se añade «Dos sillones».

[2] *asentad:* Forma arcaica de sentad. Puede tener también el verbo asentar el significado de calmar y sosegar (Picoche).

[3] El arzobispo de Zaragoza, don García Fernández de Heredia, fue asesinado el 1 de junio de 1411 en La Almunia de doña Godina por mano u orden de don Antón de Luna, partidario del conde de Urgel. Don García era defensor del derecho al trono de Fernando el de Antequera. El de Luna continuó incluso una política agresiva contra los partidarios de Fernando cuando ya éste había sido nombrado rey de Aragón tras el Compromiso de Caspe.

GUILLÉN	Ahora se acaba de hallar	
	su cadáver junto al muro,	10
	que de la noche en lo escuro[4]	
	le debieron de matar.	
	Murió como bueno y fiel...	
NUÑO	Siempre lo fue don García.	
GUILLÉN	Porque osado combatía	15
	la pretensión del de Urgel.	
NUÑO	¡Infame y cobarde acción,	
	que he de vengar por quien soy!	
GUILLÉN	Conde...	
NUÑO	Sabed que desde hoy	
	soy justicia de Aragón[5];	20
	y si mi poder alcanza	
	a los traidores, os juro	
	por mi honor, como el sol puro,	
	que han de sentir mi venganza.	
GUILLÉN	Pero dejando esto a un lado,	25
	que importa más vuestra vida,	
	¿cómo os va de aquella herida?[6]	
NUÑO	Me siento muy mejorado.	
GUILLÉN	Ya era tiempo.	
NUÑO	Un año hará	
	que la recibí[7], por Cristo;	30
	muy cerca la muerte he visto,	
	mas bueno me siento ya.	

---

[4] *escuro:* forma arcaica de oscuro. En Ms. y M. 66 «oscuro».

[5] *Justicia de Aragón:* en realidad, el cargo es Justicia Mayor de Aragón. Era el magistrado supremo del reino que, con el consejo de cinco lugartenientes togados, hacía justicia entre el rey y los vasallos y entre los eclesiásticos y seculares. Dictaba en nombre del rey sus provisiones e inhibiciones, cuidaba de que se observasen los fueros, conocía de los agravios hechos por los jueces y otras autoridades y fallaba los recursos de fuerza. A partir del siglo XIII este cargo adquirió una extraordinaria importancia. No es García Gutiérrez fiel a la historia ya que en la época en que el dramaturgo atribuye este cargo a don Nuño, era Justicia Mayor de Aragón don Juan Jiménez Cerdán, que desempeñó la alta magistratura nada menos que durante treinta años —de 1390 a 1420.

[6] Alusión al duelo con el que finalizó la primera jornada.

[7] Ha transcurrido, pues, un año entre la primera y la segunda jornada.

130

GUILLÉN	La suerte al fin del traidor
	os dio la venganza presto.
NUÑO	No me habléis, Guillén, en esto;
	habladme de Leonor,
	que hace un año, más de un año,
	mientras me duró mi herida,
	que no me habláis, por mi vida,
	de vuestra hermana, y lo extraño.
GUILLÉN	¡Don Nuño...!
NUÑO	Desque[8] dejó
	el servicio de Su Alteza,
	de contemplar su belleza,
	dura, también me privó.
	¿Consiente al fin en unir
	su suerte a la suerte mía?
	¿Se muestra menos impía?
GUILLÉN	Conde, ¿qué os puedo decir?
	En vano fue amenazar,
	y nada alcanzó mi ruego;
	esposa de Dios va luego
	a postrarse ante el altar[9].
NUÑO	¡Encerrarse en un convento!
	¿Eso prefiere más bien?
GUILLÉN	En el de Jerusalén[10]
	va a profesar al momento.
NUÑO	¡Ingrata!
GUILLÉN	Cuando el rumor
	llegó, don Nuño, a su oído
	de que había sucumbido
	en Velilla[11] el trovador,
	desesperada, llorosa...

Números de verso (columna derecha): 35, 40, 45, 50, 55, 60

---

[8] *desque*: arcaísmo, desde que. Úsase, a veces, en poesía.

[9] En M. 66 «ante su altar».

[10] El Convento de Nuestra Señora de Jerusalén, fundado en 1484 por don Juan de Coloma. Se trata, pues, de un anacronismo.

[11] *Velilla:* con este nombre existen varios pueblos aragoneses; en cualquiera de ellos pudo haber alguna escaramuza o pequeña batalla durante la guerra civil por la corona de Aragón.

Can't we arrange something?

Isn't there a way…

NUÑO	¿Y no ha medio [12], don Guillén...?
GUILLÉN	Ninguno; ni ya está bien...
NUÑO	¿Decís que aún no es religiosa?
GUILLÉN	Pero lo será muy luego.

65

NUÑO	Iré yo a verla, yo iré;
	si es fuerza la rogaré...
GUILLÉN	Despreciará vuestro ruego.
NUÑO	¿Tan en extremo enojada
	está?
GUILLÉN	¿No sabéis, señor,

70

que no hay tirano mayor
como la mujer rogada? [13]

NUÑO	Pues bien, la arrebataré
	a los pies del mismo altar;
	si ella no me quiere amar,

75

yo a amarme la obligaré.

GUILLÉN	¡Conde!
NUÑO	Sí, sí... loco estoy;
	no os enojéis; ni he querido
	ofender...
GUILLÉN	Noble he nacido,

y noble, don Nuño, soy.

80

NUÑO	Basta; ya sé, don Guillén,
	que es ilustre vuestra cuna.
GUILLÉN	Y jamás mancha ninguna
	la oscurecerá.
NUÑO	Está bien;

dejadme.

GUILLÉN	¿Quién más que yo

85

este enlace estimaría?
Mas si amengua mi hidalguía
no quiero tal dicha, no.

NUÑO	Decís bien.
GUILLÉN	Si os ofendí...
NUÑO	No; dejadme... fuera están

90

---

[12] Tanto en Ms. como en M. 66 «¿no hay medio...».

[13] Tanto en Ms. como en M. 66 «...que la mujer, si es rogada?».

132

		mis criados; a Guzmán
		que entre diréis.
GUILLÉN		Lo haré así.

ESCENA II

DON NUÑO. *Después* GUZMÁN.

NUÑO Gracias a Dios se fue ya,
que por cierto me aburría.
¡Qué vano con su hidalguía   95
el buen caballero está!
Que no me quiera servir[14]
será diligencia vana:
o ha de ser mía su hermana,
o por ella he de morir.   100

GUZMÁN ¿Señor?

NUÑO Cierra esa puerta.

GUZMÁN ¿Qué tenéis que mandarme?

NUÑO Siéntate.

GUZMÁN ¡En vuestra presencia, señor!

NUÑO Sí; quiero darte esta prueba más de mi aprecio. Voy a encargarte de una comisión arriesgada... ¿Te atreverás a hacer lo que te diga?

GUZMÁN A todo estoy pronto.

NUÑO Piénsalo bien.

GUZMÁN Aunque me costara la vida; podéis disponer de mí.

NUÑO Ya lo sé, Guzmán; nunca has dejado de serme fiel.

GUZMÁN Y lo seré siempre.

NUÑO Yo también sabré recompensarte. Bien conoces a doña Leonor de Sesé, y sabes lo que por ella he padecido.

GUZMÁN Demasiado, señor.

NUÑO Y hoy la voy a perder para siempre si no me ayuda tu arrojo. Yo debía haberla olvidado; pero mi corazón, y tal vez mi orgullo, se han resentido ya en extre-

---

[14] En M. 66 «Si no me quiere servir».

mo... me es imposible no amarla. Cuando murió Manrique en el ataque de Velilla creí que, resignándose con su suerte, se tendría por muy dichosa en dar la mano al conde de Luna, en llevar un apellido noble y brillante; me engañé... apenas podría creerlo; ha preferido encerrarse con su orgullo en un claustro. Hoy mismo debe profesar en el convento de Jerusalén.

GUZMÁN   ¡Hoy mismo!

NUÑO   Sí; yo no quiero que este acto se verifique.

GUZMÁN   ¿Cómo estorbarlo?

NUÑO   ¿No me comprendes?

GUZMÁN   Mandad.

NUÑO   Yo te prometo que nada te sucederá; el rey[15] acaba de hacerme Justicia Mayor de Aragón; de consiguiente contra ti no se hará justicia. El pueblo está consternado con la muerte violenta que han dado los rebeldes al arzobispo; el rey necesita de mí y de mis vasallos en estos momentos críticos; todo nos favorece.

GUZMÁN   Cierto.

NUÑO   ¿Cuál de mis criados te parece más a propósito para que vaya contigo?

GUZMÁN   Ferrando.

NUÑO   Dile que te acompañe; yo también le recompensaré.

GUZMÁN   ¿Oís? *(Tocan a la puerta.)*[16]

NUÑO   Abre.

ESCENA III

LOS MISMOS. DON LOPE.

LOPE   Su Alteza os manda llamar, conde.

NUÑO   ¿Su Alteza?

LOPE   Parece que está algo alborotada la ciudad con cier-

---

[15] De nuevo insiste el autor en hablar de rey cuando Aragón se encontraba en el interregno.

[16] En M. 66 la acotación va antes de «¿Oís?».

134

tas noticias que ha traído un corredor[17] del ejército.

NUÑO Pues, ¿qué hay?

LOPE Los rebeldes han entrado a saco a Castellar[18]; y se suena[19] también que algunos de ellos se han introducido en Zaragoza, y que esta noche ha de haber revuelta.

NUÑO Imposible.

LOPE La ciudad está casi desierta; todos se han consternado[20]; pero lo más particular...

NUÑO Así podrás con más facilidad... *(Aparte a Guzmán.)*

GUZMÁN Voy.

NUÑO Escucha: supongo que no encontrarás resistencia; si la hallares haz uso de la espada.

GUZMÁN ¿En la misma iglesia?

NUÑO En cualquier parte.

GUZMÁN[21] Verdad es que en un tiempo en que se matan arzobispos...

NUÑO Me has entendido... adiós.

ESCENA IV

DON NUÑO. DON LOPE.

LOPE Como decía, lo que más me ha admirado de todo ello, y lo que a vos sin duda también os sorprenderá, es la voz que corre de que el que acaudillaba a los rebeldes en la entrada del castillo era un difunto.

NUÑO ¡Don Lope!

LOPE ¿No adivináis quién sea?

---

[17] *corredor:* soldado que se enviaba para descubrir y observar al enemigo, y para descubrir el campo.

[18] *Castellar:* lugar fortificado a cuatro leguas de Zaragoza que desempeñó papel importante durante la Reconquista. Fue fundado por Sancho Ramírez a fines del siglo XI como avanzada para la conquista de la Zaragoza mora.

[19] *se suena:* se susurra, se rumorea.

[20] *consternarse:* conturbarse mucho y abatir el ánimo.

[21] En M. 66 «Lope» en lugar de «Guzmán».

NUÑO   Yo... no conozco fantasmas.

LOPE   Pues bien le conocíais, y le odiabais muy particularmente.

NUÑO   ¿Quién?

LOPE   El trovador.

NUÑO   ¿Manrique? ¿No se encontró su cadáver en el combate[22] de Velilla?

LOPE   Así se dijo, aunque ninguno le conocía por su persona.

NUÑO   ¡Si no era él!

LOPE   No sería, o como yo más bien creo...

NUÑO   ¿Qué?

LOPE   Debe de haber en esto algo de arte del diablo.

NUÑO   ¡Silencio! ¿Os queréis burlar?

LOPE   No, por mi vida.

NUÑO   ¿Y está en el castillo?

LOPE   No, en Zaragoza.

NUÑO   ¿Aquí?

LOPE   Así lo ha dicho quien le vio a la madrugada cerca de la Puerta del Sol[23].

NUÑO   Y él será tal vez el caudillo de la trama...

LOPE   Él es a lo menos el más osado, y por consiguiente el más a propósito...

NUÑO   Pluguiera[24] a Dios que así fuese.

LOPE   Nadie lo duda en la ciudad.

NUÑO   ¿Decíais que me llamaba Su Alteza?

LOPE   Seguramente.

NUÑO   Adiós, don Lope; esta noche los castigaremos si se atreven.

LOPE   Yo lo espero...

---

[22] Ms. «campo».

[23] No he encontrado referencia alguna a la Puerta del Sol de Zaragoza.

[24] *Pluguiera:* forma arcaica de placiera.

136

ESCENA V

DON LOPE.

Pues no las tengo yo todas conmigo... y si los soldados son como el caudillo... ¡pardiez! [25] un ejército de fantasmas, una falange [26] espiritual.

ESCENA VI

En el fondo del teatro se verá la reja del locutorio de un convento; tres puertas, una al lado de la reja, que comunica con el interior del claustro, otra a la derecha que va a la iglesia, y la otra a la izquierda que figura ser la entrada de la calle [27]. Se dejan ver algunas religiosas en el locutorio; la puerta que está al lado de la reja se abre, y aparece LEONOR apoyada del brazo de JIMENA; las [28] rodean algunos sacerdotes y religiosas.

LEONOR	¡Jimena!
JIMENA	Al fin abandonas a tu amiga.
LEONOR	Quiera el cielo hacerte a ti más feliz, tanto como yo deseo.
JIMENA	¿Por qué obstinarte?
LEONOR	Es preciso: 105 Ya no hay en el universo nada que me haga apreciar

---

[25] *¡pardiez!:* expresión familiar procedente del francés «Par Dieu», por Dios.

[26] *falange:* cualquier cuerpo de tropas numeroso. Así se llamaba a la principal fuerza de infantería de los ejércitos de Grecia.

[27] En M. 66 esta primera parte de la acotación aparece antes de «escena VI».

[28] En Ms. «la».

	esta vida que aborrezco.	
	Aquí de Dios en las aras	
	no veré, amiga, a lo menos	110
	a esos tiranos impíos,	
	que causa de mi mal fueron.	
JIMENA	¿Ni una esperanza?...	
LEONOR	Ninguna:	
	él murió ya.	
JIMENA	Tal vez luego	
	se borrará de tu mente	115
	ese recuerdo funesto.	
	El mal, como la ventura,	
	todo pasa con el tiempo.	
LEONOR	Estoy resuelta; ya no hay	
	felicidad, ni la quiero,	120
	en el mundo para mí;	
	sólo morir apetezco.	
	Acompáñame, Jimena.	
JIMENA	Estás temblando.	
LEONOR	Sí, tiemblo,	
	porque a ofender voy a Dios	125
	con pérfido juramento.	
JIMENA	¿Qué dices?	
LEONOR	¡Ay!, todavía	
	delante de mí le tengo,	
	y Dios, y el altar, y el mundo	
	olvido cuando le veo.	130
	Y siempre viéndole estoy	
	amante, dichoso y tierno...	
	Mas no existe; es ilusión	
	que imagina mi deseo.	
	Vamos.	
JIMENA	¡Leonor!	
LEONOR	Vamos pronto.	135
	Le olvidaré, lo prometo.	
	Dios me ayudará...; sosténme,	
	que apenas tenerme puedo.	

138

ESCENA VII

Queda la escena un momento sola y salen por la izquierda
DON[29] MANRIQUE, *con el rostro cubierto con la celada*[30],
y RUIZ.

RUIZ	Este es el convento.
MANRIQUE	Sí,
	Ruiz[31], pero nada veo. 140
	¡Si te engañaron!
RUIZ	No creo...
MANRIQUE	¿Estás cierto que era aquí?
RUIZ	Señor, muy cierto.
MANRIQUE	Sin duda
	tomó ya el velo.
RUIZ	Quizá.
MANRIQUE	Ya esposa de Dios será, 145
	ya el ara santa la escuda.
RUIZ	Pero...
MANRIQUE	Déjame, Ruiz[32];
	ya para mí no hay consuelo.
	¿Por qué me dio vida el cielo
	si ha de ser tan infeliz? 150
RUIZ	Mas ¿qué causa pudo haber
	para que así consagrara
	tanta hermosura en el ara?
	Mucho debió padecer.
MANRIQUE	Nuevas falsas de mi muerte 155
	en los campos de Velilla
	corrieron, cuando en Castilla
	estaba yo.

---

[29] En Ms. se omite «DON».

[30] *celada:* pieza de la armadura, que servía para cubrir y defender la cabeza.

[31] En M. 66 «Rüiz» para la más exacta medida de los versos.

[32] En M. 66 «Rüiz».

139

RUIZ	De esa suerte...
MANRIQUE	Persiguiéronla inhumanos
	que envidiaban nuestro amor 160
	y ella busca al Redentor
	huyendo de sus tiranos.
	Si supiera que aún existo
	para adorarla... no, no...
	ya olvidarte debo yo, 165
	esposa de Jesucristo.
RUIZ	¿Qué hacéis? Callad...
MANRIQUE	Loco estoy...
	Y ¿cómo no estarlo, ¡ay cielo!
	si infelice[33] mi consuelo
	pierdo y mis delicias hoy? 170
	No los perderé. Ruiz[34],
	déjame.
RUIZ	¿Qué vais a hacer?
MANRIQUE	Pudiérala acaso ver...
	con esto fuera feliz.
RUIZ	Aquí el locutorio está. 175
MANRIQUE	Vete.
RUIZ	Fuera estoy.

ESCENA VIII

MANRIQUE. *Después* GUZMÁN, FERRANDO.

MANRIQUE	¿Qué haré?
	Turbado estoy... ¿llamaré?
	Tal vez orando estará.
	Acaso en este momento
	llora cuitada por mí; 180
	nadie viene... por aquí...
	es la iglesia del convento.
FERRANDO	Tarde llegamos, Guzmán.

---

[33] *infelice*: infeliz, úsase en poesía.
[34] En M. 66 «Rüiz».

GUZMÁN	¿Quién es ese hombre?
FERRANDO	No sé.

(Las religiosas cantarán dentro un responso; el canto no cesará hasta un momento después de concluida la jornada[35]*.)*

GUZMÁN	¿Oyes el canto?	
FERRANDO	Sí a fe.	185
GUZMÁN	En la ceremonia están.	
MANRIQUE	¡Qué escucho... cielos! es ella...	

(Mirando a la puerta de la iglesia.)

Allí está bañada en llanto,
junto al altar sacrosanto[36],
y con su dolor más bella.   190

GUZMÁN	¿No es esa la iglesia?
FERRANDO	Vamos.
MANRIQUE	Ya se acercan hacia aquí.
FERRANDO	Espérate.
GUZMÁN	¿Vienen?
FERRANDO	Sí.
MANRIQUE	No, que no me encuentre... huyamos.

(Quiere huir, pero deteniéndose de pronto se apoya vacilando en la reja del locutorio. Leonor, Jimena y el séquito salen de la iglesia y se dirigen a la puerta del claustro; pero al pasar al lado de Manrique éste alza la visera, y Leonor reconociéndole cae desmayada a sus pies. Las religiosas aparecen en el locutorio llevando velas encendidas.)

GUZMÁN	Esta es la ocasión... valor.	195
LEONOR	¿Quién es aquél? Mi deseo	
	me engaña... Sí, ¡es él!	
JIMENA	¡Qué veo!	
LEONOR	¡Ah! ¡Manrique...!	
GUZMÁN y FERRANDO	¡El trovador! *(Huyen.)*	

---

[35] En Ms. «después de concluido el acto».
[36] En Ms. «cubierta del velo santo».

JORNADA TERCERA
La Gitana

Interior de una cabaña; la[1] *Azucena estará sentada cerca de una hoguera; Manrique a su lado de pie*[2].

ESCENA PRIMERA

MANRIQUE, AZUCENA *(Canta.)*

AZUCENA   Bramando está el pueblo indómito
de la hoguera en derredor;
al ver[3] ya cerca la víctima
gritos lanza de furor.
Allí viene; el rostro pálido,   5
sus miradas de temor[4],
brillan de la llama trémula
al siniestro resplandor.

MANRIQUE   ¡Qué triste es esa canción!

AZUCENA   Tú no conoces esta[5] historia, aunque nadie mejor que tú pudiera saberla.

MANRIQUE   ¿Yo...?

AZUCENA   Te separaste tan niño de mi lado, ¡ingrato!, abandonaste a tu madre por seguir a un desconocido...

MANRIQUE   A don Diego de Haro, señor de Vizcaya[6].

AZUCENA   Pero que no te amaba tanto como yo.

---

[1] En M. 66 se omite «la».

[2] En Ms. se omite «de pie».

[3] En Ms. «y al ver».

[4] En M. 66 «terror».

[5] En M. 66 «esa».

[6] No existió tal personaje. El señorío de Vizcaya pertenecía, en efecto, a la poderosa y noble familia de los Haro, pero en 1411 el señorío había

145

MANRIQUE Mi objeto era el de haceros feliz... las montañas de Vizcaya no podían suministrar a mi ambición recursos para elevarme a la altura de mis ilusiones. Seguí a don Diego hasta Zaragoza porque se decidió a protegerme; y yo decía para mí: «Algún día sacaré a mi madre de la miseria», pero vos no lo habéis querido.

AZUCENA No, yo soy feliz; yo no ambiciono alcázares dorados; tengo bastante con mi libertad y con las montañas donde vivieron siempre nuestros padres.

MANRIQUE ¡Siempre!

AZUCENA Pero, hijo mío, la pobreza tiene muchos inconvenientes, y tu familia los ha experimentado muy terribles.

MANRIQUE ¿Mi familia?

AZUCENA Nada me has preguntado nunca acerca de ella.

MANRIQUE No me he atrevido... No sé por qué se me ha figurado que me habíais de contar alguna cosa horrible.

AZUCENA Tienes razón, ¡una cosa horrible...! Yo para recordarlo no podría[7] menos de estremecerme... ¿ves esa hoguera?, ¿sabes tú lo que significa esa hoguera? Yo no puedo mirarla sin que se me despegue la carne de los huesos, y no puedo apartarla de mí, porque el frío de la noche hiela todo mi cuerpo.

MANRIQUE Pero, ¿por qué os habéis querido fijar en este sitio?

AZUCENA Porque este sitio tiene para mí recuerdos muy profundos... desde aquí se descubren los muros de Zaragoza... éste era, éste, el sitio donde murió.

MANRIQUE ¿Quién, madre mía?

AZUCENA Es verdad, tú no lo sabes, y sin embargo era mi madre, mi pobre madre, que nunca había hecho daño a nadie. Pero ¡dieron en decir que era bruja...!

MANRIQUE ¿Vuestra madre?

AZUCENA Sí: la acusaron de haber hecho mal de ojo al

---

pasado ya al rey de Castilla Juan II, a través de doña Juana Manuel, esposa de Enrique II y descendiente de los Haro. García Gutiérrez, pues, inventa, de nuevo, un personaje histórico.

[7] En Ms. «podía».

hijo de un caballero, de un conde. No hubo compasión para ella, y la condenaron a ser quemada viva.

MANRIQUE ¡Qué horror! Bárbaros... y ¿lo consumaron?

AZUCENA En este mismo sitio, donde está esa hoguera.

MANRIQUE ¡Gran Dios!

AZUCENA Yo la seguía de lejos, llorando mucho, como quien llora por una madre. Llevaba yo a mi hijo en los brazos, a ti; mi madre volvió tres veces la cabeza para mirarme y bendecirme. La última vez, cerca del suplicio... allí, me miró haciendo un gesto espantoso, y con una voz ahogada y ronca me gritó: «¡Véngame!» ¡Aquella palabra! no la puedo olvidar, aquella palabra... se grabó en mi alma, en todos mis sentidos, y yo juré vengarla de una manera horrorosa.

MANRIQUE Sí, y la vengasteis... ¿es verdad? Tendría un placer en saberlo. Mil crímenes, mil muertes no eran bastantes.

AZUCENA Pocos días después tuve ocasión de conseguirlo. Yo no hacía otra cosa que rodear la casa del conde que había sido causa de la muerte de aquella desgraciada... un día logré introducirme en ella y le arrebaté el niño, y dos minutos después ya estaba yo en este sitio, donde tenía preparada la hoguera.

MANRIQUE ¿Y tuvisteis valor...?

AZUCENA El inocente lloraba y parecía querer implorar mi compasión... Tal vez me acariciaba... Dios mío, yo no tuve valor... yo también era madre... *(Llorando.)*

MANRIQUE Y ¿en fin...?

AZUCENA Yo no había olvidado, sin embargo, a la infeliz que me había dado el ser; pero los lamentos de aquella infeliz[8] criatura me desarmaban, me rasgaban el corazón. Esta lucha era superior a mis fuerzas, y bien pronto se apoderó de mí una convulsión violenta... yo oía confusamente los chillidos del niño y aquel grito que me decía: «¡Véngame!» Pero de repente, y como en un sueño, se me puso delante de los ojos aquel suplicio, los soldados con sus picas, mi madre desgreñada y pálida, que con

---

[8] En Ms. «inocente».

paso trémulo caminaba despacio, muy despacio, hacia la muerte, y que volvía la cara para mirarme, para decirme: «¡Véngame!». Un furor desesperado se apoderó de mí, y desatentada[9] y frenética tendí las manos buscando una víctima: la encontré, la así con una fuerza convulsiva, y la precipité entre las llamas. Sus gritos horrorosos ya no sirvieron sino para sacarme de aquel enajenamiento mortal... abrí los ojos, los tendí a todas partes... la hoguera consumía una víctima, y el hijo del conde estaba allí. *(Señalando a la izquierda.)*

MANRIQUE ¡Desgraciada!

AZUCENA Había quemado a mi hijo.

MANRIQUE ¡Vuestro hijo! Pues ¿quién soy yo, quién...? Todo lo veo.

AZUCENA ¿Te he dicho que había quemado a mi hijo...? No... He querido burlarme de tu ambición... tú eres mi hijo; el del conde, sí, el del conde era el que abrasaban las llamas... ¿no quieres tú que yo sea tu madre?

MANRIQUE Perdonad.

AZUCENA ¡Ingrato! ¿No te he prodigado una ternura sin límites?

MANRIQUE Perdonad: merezco vuestras reconvenciones[10]. Mil veces dentro de mi corazón, os lo confieso, he deseado que no fueseis mi madre, no porque no os quiera con toda mi alma, sino porque ambiciono un nombre, un nombre que me falta. Mil veces digo[11] para mí, si yo fuese un Lanuza[12], un Urrea[13]...

AZUCENA Un Artal[14]...

---

[9] *desatentada:* que habla u obra fuera de razón y sin tino ni concierto.

[10] En Ms. «vuestra reconvención».

[11] En Ms. «dige» (sic).

[12] *Lanuza:* noble familia aragonesa cuyos miembros ocuparon hereditariamente el cargo de Justicia Mayor de Aragón desde 1441 a 1591 año en que Juan de Lanuza fue ejecutado por orden de Felipe II. Sobre este personaje escribió el duque de Rivas su tragedia *Lanuza* (1822).

[13] *Urrea:* otra noble familia de Aragón, poderosa, sobre todo, en los siglos XIV y XV y feroz enemiga del conde de Urgel.

[14] *Artal:* Azucena insinúa a Manrique su verdadero apellido, el de los condes de Luna, que el joven rechazará precisamente por ser el de su rival.

MANRIQUE   No, un Artal no, es apellido que detesto; primero el hijo de un confeso[15]. Pero a pesar de mi ambición, os amo, madre mía; no... yo no quiero sino ser vuestro hijo. ¿Qué me importa un nombre?, mi corazón es tan grande como el de un rey... ¿qué noble ha doblado nunca mi brazo?

AZUCENA   Sí, sí; ¿a qué ambicionar más?

MANRIQUE   Aún no viene. (*Llegándose a la puerta.*)

AZUCENA   Pero sin embargo, estás muy triste... ¿te devora algún pesar secreto? ¿Sientes tú haber nacido de unos padres tan humildes? No temas, yo no diré a nadie que soy tu madre, me contentaré con decírmelo a mí propia y en[16] vanagloriarme interiormente. ¿Estás contento?

ESCENA II

LOS MISMOS. RUIZ.

MANRIQUE   Ahí está.

AZUCENA   ¿Esperabas a ese hombre?

MANRIQUE   Sí, madre.

AZUCENA   No temas, no me verá. (*Se aparta a un lado.*)

RUIZ   ¿Estáis pronto?

MANRIQUE   ¿Eres tú, Ruiz?

RUIZ   El mismo; todo está preparado.

MANRIQUE   Marchemos.

ESCENA III

AZUCENA.

Se ha ido sin decirme nada, sin mirarme siquiera. ¡Ingrato! No parece sino que conoce mi secreto... ¡ah!, que no sepa nunca[17]... Si yo le dijera: «Tú no eres mi hijo, tu fa-

---

[15] *confeso:* aplícase al judío covertido. Se nota aquí el antisemitismo que aún latía en la sociedad española del siglo XIX. Más adelante se verán nuevas muestras de este antisemitismo.

[16] En M. 66 se omite «en».

[17] En Ms. «que no lo sepa nunca...».

milia lleva un nombre esclarecido, no me perteneces...» me despreciaría, y me dejaría abandonada en la vejez. Estuvo en poco que no se lo descubriera... ¡ah! no, no lo sabrá nunca... ¿Por qué le perdoné la vida sino para que fuera mi hijo?

ESCENA IV

El teatro representa una celda; en el fondo a la izquierda habrá un reclinatorio, en el cual estará arrodillada LEONOR; *se ve un Crucifijo pendiente de la pared delante del reclinatorio.*

LEONOR   Ya el sacrificio que odié
                mi labio trémulo y frío
                consumó... perdón, Dios mío,   10
                perdona si te ultrajé.
                Llorar triste y suspirar
                sólo puedo; ¡ay, Señor! no...
                tuya no debo ser yo,   15
                recházame de tu altar.
                Los votos que allí te hiciera
                fueron votos de dolor
                arrancados al temor
                de una alma tierna y sincera.   20
                Cuando en el ara fatal
                eterna fe te juraba,
                mi mente ¡ay Dios! se extasiaba
                en la imagen de un mortal.
                Imagen que vive en mí   25
                hermosa, pura y constante...
                No, tu poder[18] no es bastante
                a separarla de aquí...
                Perdona, Dios de bondad,
                perdona, sé que te ofendo: 30
                vibra tu rayo tremendo
                y confunde mi impiedad.

---

[18] En Ms. «mi virtud» en lugar de «tu poder».

Mas no puedo en mi inquietud
arrancar del corazón
esta violenta pasión   35
que es mayor que mi virtud.
Tiempos en que amor solía
colmar piadoso mi afán,
¿qué os hicisteis?, ¿dónde están
vuestra gloria y mi alegría?   40
De amor el suspiro tierno
y aquel placer sin igual,
tan breve para mi mal
aunque en mi memoria eterno.
Ya pasó... mi juventud   45
los tiranos marchitaron,
y a mi vida prepararon
junto al ara el ataúd.
Ilusiones engañosas,
livianas como el placer,   50
no aumentéis mi padecer...
¡sois por mi mal tan hermosas!
(Una voz, acompañada de un laúd, canta las
siguientes estrofas después de un breve preludio; LEONOR manifiesta entre tanto la mayor agitación.)

Camina orillas [19] del Ebro
caballero lidiador,
puesta en la cuja [20] la lanza   55
que de contrarios venció.
        Dispierta [21], Leonor,
        Leonor.

Buscando viene anhelante
a la prenda de su amor,   60
a su pesar consagrada

---

[19] En M. 66 «a orillas».
[20] *cuja:* bolsa de cuero asida a la silla del caballo o anillo de hierro su-
jeto al estribo para meter el cuento de la lanza.
[21] *dispierta:* arcaísmo por despierta. En M. 66 «despierta».

en los altares de Dios.
Dispierta, Leonor,
Leonor.

LEONOR   Sueños, dejadme gozar...   65
no hay duda... él es... trovador *(Viendo entrar*
a Manrique[22].)
¡será posible...!
MANRIQUE   ¡Leonor!
LEONOR   ¡Gran Dios!, ya puedo expirar.

ESCENA V

MANRIQUE[23], LEONOR.

MANRIQUE   Te encuentro al fin, Leonor.
LEONOR   Huye: ¿qué has
[hecho?
MANRIQUE   Vengo a salvarte, a quebrantar osado   70
los grillos que te oprimen, a estrecharte
en mi seno, de amor enajenado.
¿Es verdad, Leonor? Dime si es cierto
que te estrecho en mis brazos, que respiras
para colmar hermosa mi esperanza,   75
y que extasiada de placer me miras.
LEONOR   ¡Manrique...!
MANRIQUE   Sí, tu amante que te adora
más que nunca feliz.
LEONOR   ¡Calla...!
MANRIQUE   No temas;
todo en silencio está como el sepulcro.
LEONOR   ¡Ay!, ¡ojalá que en él feliz durmiera   80
antes que delincuente profanara,
torpe esposa de Dios, su santo velo!
MANRIQUE   ¿Su esposa tú...? Jamás.

---

22 En M. 66 «don Manrique».
23 En M. 66 «don Manrique».

152

LEONOR	Yo, desdichada,
	yo no ofendiera con mi llanto al cielo.
MANRIQUE	No, Leonor, tus votos indiscretos 85
	no complacen a Dios; ellos le ultrajan.
	¿Por qué temes? Huyamos; nadie puede
	separarme de ti... ¿tiemblas...? ¿Vacilas...?
LEONOR	¡Sí, Manrique...! ¡Manrique...! Ya no puede
	ser tuya esta infeliz; nunca... mi vida, 90
	aunque llena de horror y de amargura,
	ya consagrada está, y eternamente,
	en las aras de un Dios omnipotente.
	Peligroso mortal, no más te goces
	envenenando ufano mi existencia; 95
	demasiado sufrí, déjame al menos
	que triste muera aquí con mi inocencia.
MANRIQUE	¡Esto aguardaba yo! Cuando creía
	que más que nunca enamorada y tierna
	me esperabas ansiosa, así te encuentro 100
	sorda a mi ruego, a mis halagos fría.
	Y ¿tiemblas, di, de abandonar las aras
	donde tu puro afecto y tu hermosura
	sacrificaste a Dios...? ¡Pues qué...! ¿no fueras
	antes conmigo que con Dios perjura? 105
	Sí, en una noche...
LEONOR	¡Por piedad!
MANRIQUE	¿Te acuerdas?
	En una noche plácida y tranquila...
	¡qué recuerdo, Leonor!, nunca se aparta
	de aquí, del corazón: la luna hería
	con moribunda luz tu frente hermosa, 110
	y de la noche el aura silenciosa
	nuestros suspiros tiernos confundía.
	«Nadie cual yo te amó», mil y mil veces
	me dijiste falaz; «Nadie en el mundo
	como yo puede amar»; y yo insensato 115
	fiaba en tu promesa seductora,
	y feliz y extasiado en tu hermosura
	con mi esperanza allí me halló la aurora.
	¡Quimérica esperanza! ¡Quién diría

153

	que la que tanto amor así juraba,	120
	juramento y amor olvidaría!	
LEONOR	Ten de mí compasión: si por ti tiemblo,	
	por ti y por mi virtud, ¿no es harto triunfo?	
	Sí, yo te adoro aún; aquí en mi pecho,	
	como un raudal de abrasadora llama	125
	que mi vida consume, eternos viven	
	tus recuerdos de amor; aquí, y por siempre,	
	por siempre aquí estarán, que en vano quiero²⁴	
	bañada en lloro, ante el altar postrada,	
	mi pasión criminal lanzar del pecho.	130
	No encones más mi endurecida llaga;	
	si aún amas a Leonor, huye, te ruego,	
	libértame de ti.	
MANRIQUE	¡Que huya me dices...!	
	¡Yo, que sé que me amas...!	
LEONOR	No, no creas...	
	no puedo amarte yo... si te lo he dicho,	135
	si perjuro mi labio te engañaba,	
	¿lo pudiste creer...? Yo lo decía,	
	pero mi corazón... te idolatraba.	
MANRIQUE	¡Encanto celestial! Tanta ventura	
	puedo apenas creer.	
LEONOR	¿Me compadeces...?	140
MANRIQUE	Ese llanto, Leonor, no me lo ocultes;	
	deja que ansioso en mi delirio goce	
	un momento de amor; injusto he sido,	
	injusto para ti... vuelve tus ojos,	
	y mírame risueña y sin enojos.	145
	¿Es verdad que en el mundo no hay delicia	
	para ti sin mi amor?	
LEONOR	¿Lo dudas...?	
MANRIQUE	Vamos...	
	pronto huyamos de aquí.	

---

²⁴ Se ha añadido «quiero» que falta en la príncipe y en M. 66. No así
en Ms. que escribe correctamente el verso, ya que de otro modo faltarían
dos sílabas y además la frase carecería de sentido.

LEONOR   ¡Si ver pudieses
             la lucha horrenda que mi pecho abriga!
             ¿Qué pretendes de mí? ¿Que infame,
                                      [impura,   150
             abandone el altar, y que te siga,
             amante tierna, a mi deber perjura?
             Mírame aquí a tus pies, aquí te imploro
             que del seno me arranques de la dicha;
             tus brazos son mi bien[25], seré tu
                                      [esposa,   155
             y tu esclava seré; pronto, un momento,
             un momento pudiera descubrirnos,
             y te perdiera entonces.
MANRIQUE   ¡Ángel mío!
LEONOR   Huyamos, sí... ¿no ves allí en el claustro
             una sombra...? ¡Gran Dios!
MANRIQUE   No hay nadie, na-
                                      [die...[26]   160
             fantástica ilusión.
LEONOR   Ven, no te alejes;
             ¡tengo un miedo! No, no... te han visto...
                                      [vete...
             pronto, vete por Dios... mira el abismo
             bajo mis pies abierto; no pretendas
             precipitarme en él.
MANRIQUE   Leonor, respira,   165
             respira por piedad: yo te prometo
             respetar tu virtud y tu ternura.
             No alienta, sus sentidos trastornados...
             me abandonan sus brazos[27]... no, yo siento
             su seno palpitar... ¡Leonor! Ya es
                                      [tiempo   170
             de huir de esta mansión, pero conmigo
             vendrás también. Mi amor, mis esperanzas,
             tú para mí eres todo, ángel hermoso.

---

[25] En Ms. y M. 66 «son mi altar».
[26] En Ms. «No, no hay nadie, nadie...».
[27] En Ms.«se abandona en mis brazos...».

¿No me juraste amarme eternamente
por el Dios que gobierna el firma-
[mento? 175
Ven a cumplirme, ven, tu juramento.

ESCENA VI

Calle corta; a la izquierda se ve la fachada de una iglesia[28].

RUIZ. *Un momento después* UN SOLDADO.

RUIZ ¡Es mucho tardar! Me temo que esta dilación... ¡oiga!
¿Quién va?

SOLDADO ¿Ruiz?

RUIZ El mismo. ¡Ah! ¿Eres tú? ¿Ha llegado la gente?

SOLDADO Ya está cerca del muro, pero la puerta está
guardada.

RUIZ ¡Cómo! ¿Alguno nos ha vendido tal vez?

SOLDADO El rey ha salido esta noche de la ciudad.

RUIZ Algo ha sabido.

SOLDADO Sin duda. ¿Con cuántos hombres podemos contar dentro de la ciudad?

RUIZ Apenas llegan a ciento.

SOLDADO Bastan para atacar la puerta si nos ayudan los
de fuera[29].

RUIZ Dices bien.

SOLDADO Vamos.

RUIZ ¿Y don Manrique?

SOLDADO ¿Temes?

RUIZ ¡Yo...! No; pero queda mi señor todavía en el
convento.

SOLDADO ¡Diablo! Ya... pero es cosa de un momento: un
ataque imprevisto por la espalda y por el frente... después ya no corre peligro.

RUIZ Vamos.

---

[28] En M. 66 la acotación va antes de «Escena VI».
[29] En Ms. «afuera».

ESCENA VII

MANRIQUE[30]. LEONOR.

MANRIQUE Alienta, en salvo estamos.

LEONOR ¡Ay!

MANRIQUE Ya vuelve...

LEONOR ¿Dónde estoy?

MANRIQUE En mis brazos, Leonor. *(Se oye dentro ruido lejano de armas.)*[31]

LEONOR ¿Qué rumor es ese...?

MANRIQUE ¡Cielos...! tal vez...

LEONOR ¿Adónde me llevas? Suéltame por Dios... ¿no ves que te pierdes?

MANRIQUE ¿Qué me importa, si no te pierdo a ti?

LEONOR Pero, ¿qué significa ese ruido?

MANRIQUE No es nada, nada.

LEONOR Ese resplandor... esas luces que se divisan a lo lejos...

MANRIQUE Es verdad, pero no temas, estoy a tu lado.

LEONOR ¿No oyes estruendo de armas?

MANRIQUE Sí, confusamente se percibe.

LEONOR ¿Si vienen en nuestra busca?

MANRIQUE No puede ser.

LEONOR Pero esos hombres que se acercan... he distinguido los penachos.

MANRIQUE No temas.

LEONOR ¿Qué van a hacer contigo? Huye, huye, por Dios.

MANRIQUE Si fueran mis soldados...

LEONOR Vete; se acercan... ¿no los ves? ¡Es el conde!

MANRIQUE ¡Don Nuño! Es verdad... ¡Gran Dios! ¿Y he de perderte? *(Se oye tocar a rebato[32].)*

---

[30] En M. 66 «DON MANRIQUE».

[31] En Ms. «Se oye dentro ruido de armas lejano».

[32] *tocar a rebato:* frase hoy en desuso que expresaba el peligro de una incursión repentina del enemigo sobre el pueblo, al cual se avisaba tocando aprisa las campanas para que se pusiesen en defensa.

157

LEONOR   ¿Escuchas?
MANRIQUE   Sí, esta es la señal.
DENTRO   ¡Traición, traición!
MANRIQUE   Estamos libres. *(Desenvainando la espada.)*
DENTRO   ¡Traición!
LEONOR   ¿Qué haces?

ESCENA VIII

En este momento salen por la izquierda DON NUÑO, DON
GUILLÉN, DON LOPE *y* SOLDADOS *con luces, y por la derecha* RUIZ *y varios* SOLDADOS *que se colocan al lado de* DON
MANRIQUE: *éste defenderá a* LEONOR *ocultándose entre los
suyos y peleando con* DON GUILLÉN *y* DON NUÑO; *entre
tanto no cesarán de tocar a rebato.*

MANRIQUE   ¡Aquí, mis valientes!
NUÑO   Él es.
GUILLÉN   ¡Traidor!
LEONOR   ¡Piedad, piedad!

158

JORNADA CUARTA
La Revelación

El teatro representa un campamento con varias tiendas; algunos soldados se pasean por el fondo.

ESCENA PRIMERA

Don Nuño, Don Guillén, Jimeno.

NUÑO   Bien venido, don Guillén:
ya cuidadoso[1] esperaba
vuestra vuelta... ¿Qué habéis visto?

GUILLÉN   Como mandasteis, al alba
salí a explorar todo el campo   5
y me interné en la montaña.

NUÑO   ¿No encontrasteis los rebeldes?

GUILLÉN   Encerrados nos aguardan
en Castellar.

NUÑO   ¡Nos esperan!

GUILLÉN   A tanto llega su audacia.   10

NUÑO   ¿Sabéis si está don Manrique?

GUILLÉN   Don Manrique es quien los manda.

NUÑO   Albricias, don Guillén; hoy
recobraréis vuestra hermana.

GUILLÉN   No sabéis cuál lo deseo,   15
por lavar la torpe mancha
que esa pérfida ha estampado
en el blasón de mis armas.
¡Allí con su seductor...!
No quiero pensarlo... ¡Infamia   20

---

[1] *cuidadoso:* en la acepción de receloso o temeroso.

	inaudita! Y está allí...	
	y yo no voy a arrancarla	
	con el corazón villano	
	el torpe amor que la abrasa!	
NUÑO	Sosegáos.	
GUILLÉN	No, no sosiega	25
	el que así de su prosapia	
	ve el blasón envilecido...	
	Honrado nací en mi casa,	
	y a la tumba de mis padres	
	bajará mi honor sin mancha.	30
NUÑO	Sin mancha, yo os lo prometo.	
GUILLÉN	¡El traidor! ¡Que se escapara	
	la noche que en Zaragoza	
	entre el rumor de las armas	
	la arrancó del claustro!	
NUÑO	En vano	35
	perseguirle procuraba:	
	se me ocultó entre los suyos...	
GUILLÉN	Que bien pagaron su audacia.	
NUÑO	Que levanten esas tiendas	
	para ponernos en marcha	40
	al instante... ¡nos esperan!	
	¿Tienen [2] mucha gente?	
GUILLÉN	Basta	
	para guardar el castillo	
	la que he visto... y bien armada.	
	Catalanes son los más,	45
	y toda gente lozana.	
NUÑO	No importa: de Zaragoza	
	hoy nos llegaron cien lanzas	
	y seiscientos ballesteros	
	que nos hacían gran falta.	50
	No se escaparán, si Dios	
	quiere ayudar nuestra causa.	
	¿Qué ruido es ese? *(Se oye dentro rumor y algazara.)*	

---

[2] En M. 66 «tiene».

ESCENA II

LOS MISMOS. GUZMÁN

GUZMÁN	¡Señor!
NUÑO	¿Qué motiva esa algazara?
	¿Qué traéis?
GUZMÁN	Vuestros soldados 55
	que por el campo rondaban
	han preso a una bruja.
NUÑO	¿Qué?
GUZMÁN	Sí, señor, a una gitana.
NUÑO	¿Por qué motivo?
GUZMÁN	Sospechan,
	al ver que de huir trataba 60
	cuando la vieron, que venga
	a espiar.
NUÑO	¿Y por qué arman
	ese alboroto? ¿Qué es eso? *(Mirando aden-*
	tro.)
GUILLÉN	¿No veis cómo la maltratan?
NUÑO	Traédmela, y que ninguno 65
	sea atrevido a tocarla.

ESCENA III

LOS MISMOS, la[3] AZUCENA *conducida por soldados y con las manos atadas.*

AZUCENA	Defendedme de esos[4] hombres
	que sin compasión me matan...
	defendedme.
NUÑO	Nada temas;

---

[3] En M. 66 se omite «la».
[4] En Ms. y M. 66 «estos».

	nadie te ofende.	
AZUCENA	¿Qué causa	70
	he dado para que así	
	me maltraten?	
GUILLÉN	¡Desgraciada!	
NUÑO	¿Adónde ibas?	
AZUCENA	No sé...	
	por el mundo: una gitana	
	por todas partes camina,	75
	y todo el mundo es su casa.	
NUÑO	¿No estuviste en Aragón	
	nunca?	
AZUCENA	Jamás.	
JIMENO	¡Esa cara!	
NUÑO	¿Vienes de Castilla?	
AZUCENA	No;	
	vengo, señor, de Vizcaya,	80
	que la luz primera vi	
	en sus áridas montañas.	
	Por largo tiempo he vivido	
	en sus crestas elevadas,	
	donde pobre y miserable	85
	por dichosa me juzgaba.	
	Un hijo solo tenía,	
	y me dejó abandonada:	
	voy por el mundo a buscarle,	
	que no tengo otra esperanza.	90
	Y ¡le quiero tanto! él es	
	el consuelo de mi alma,	
	señor, y el único apoyo	
	de mi vejez desdichada.	
	¡Ay! Sí... dejadme, por Dios,	95
	que a buscar a mi hijo vaya,	
	y a esos hombres tan crueles	
	decid que mal no me hagan.	
GUZMÁN	Me hace sospechar, don Nuño.	
NUÑO	Teme, mujer, si me engañas.	100
AZUCENA	¿Queréis que os lo jure?.	
NUÑO	No;	

	mas ten cuenta que te habla	
	el conde de Luna.	
AZUCENA	¡Vos! *(Sobresaltada.)*	
	¿Sois vos? (¡Gran Dios!)	
JIMENO	¡Esa cara!	
	Esa turbación...	
AZUCENA	Dejadme...	105
	permitidme que me vaya...	
JIMENO	¿Irte...? Don Nuño, prendedla.	
AZUCENA	Por piedad no... ¡Qué! ¿No bastan	
	los golpes de esos impíos,	
	que de dolor me traspasan?	110
NUÑO	Que la suelten.	
JIMENO	No, don Nuño.	
NUÑO	Está loca.	
JIMENO	Esa gitana	
	es la misma que a don Juan	
	vuestro hermano...	
NUÑO	¡Qué oigo!	
AZUCENA	¡Calla!	
	No se lo digas, cruel,	115
	que si lo sabe me mata.	
NUÑO	Atadla bien.	
AZUCENA	Por favor,	
	que esas cuerdas me quebrantan	
	las manos... ¡Manrique, hijo,	
	ven a librarme!	
GUILLÉN	¿Qué habla?	120
AZUCENA	Ven, que llevan a morir	
	a tu madre.	
NUÑO	¡Tú, inhumana,	
	tú fuiste!	
AZUCENA	No me hagáis mal,	
	os lo pido arrodillada...	
	tened compasión de mí.	125
NUÑO	Llevadla de aquí... apartadla	
	de mi vista.	
AZUCENA	No fui yo;	
	ved, don Nuño, que os engañan.	

165

ESCENA IV

LOS MISMOS, *menos la*[5] AZUCENA *y* SOLDADOS.

NUÑO	Tomad, don Lope[6] cien hombres,	
	y a Zaragoza llevadla:	130
	vos de ella me respondéis	
	con vuestra cabeza.	
GUILLÉN	¿Marcha	
	el campo?[7]	
NUÑO	Sí, a Castellar.	
	¡Es hijo de una gitana...!	
	¿No lo oísteis, don Guillén,	135
	que a Manrique demandaba?	
GUILLÉN	Sí, sí...	
NUÑO	Pronto a Castellar,	
	que esta tardanza me mata...	
	Yo os prometo no dejar	
	una piedra en sus murallas.	140

ESCENA V

Habitación de LEONOR *en la torre de Castellar, con dos puertas laterales*[8].

LEONOR. RUIZ.

RUIZ	¿Qué mandarme tenéis?	
LEONOR		¿Y don Manrique?
RUIZ	Aún reposando está.	

(LEONOR *hace una seña, y se retira* RUIZ.)

---

5 En M. 66 se omite «la».
6 En Ms. «capitán» en lugar de «don Lope».
7 *Marcha el campo:* marcha el ejército.
8 En M. 66 la acotación va antes de «Escena V».

LEONOR	Duerme tranquilo

mientras rugiendo atroz sobre tu frente
rueda la tempestad, mientras llorosa
tu amante criminal tiembla azorada.   145
¿Cuál es mi suerte? ¡Oh, Dios! ¿Por qué tus
                                                                  [aras
ilusa abandoné? La paz dichosa
que allí bajo las bóvedas sombrías
feliz gozaba tu perjura esposa...
¿Esposa yo de Dios? No puedo serlo;   150
jamás, nunca lo fui... tengo un amante
que me adora sin fin, y yo le adoro,
que no puedo olvidar sólo un instante.
Ya con eternos vínculos el crimen
a su suerte me unió... nudo funesto,   155
nudo de maldición que allá en su trono
enojado maldice un Dios terrible[9].

ESCENA VI

LEONOR. MANRIQUE

LEONOR	¡Manrique! ¿Eres tú?
MANRIQUE	Sí... Leonor querida.
LEONOR	¿Qué tienes?
MANRIQUE	Yo no sé...
LEONOR	¿Por qué temblando
	tu mano está? ¿Qué sientes?
MANRIQUE	Nada, nada. 160

---

[9] En Ms. aparecen además los ocho versos siguientes:

> ¿Y qué puedo yo hacer? no está en mi mano
> aborrecer ni amar... haz que yo olvide
> una pasión frenética que eterna
> mi corazón la abraza y la devora;
> entonces te amaré... no es culpa mía...
> tú que me diste un corazón de fuego,
> tú que me hiciste débil... ¿por qué tanto
> gozarte quieres en mi eterno llanto?

LEONOR   En vano me lo ocultas.
MANRIQUE   Nada siento.
            Estoy bueno... ¿Qué dices? ¿Que temblaba
            mi mano...? No... ilusión... nunca he temblado.
            ¿Ves como estoy tranquilo?
LEONOR   De otra suerte
            me mirabas ayer... tu calma fría   165
            es la horrorosa calma de la muerte.
            Pero ¿qué causa, dime, tus pesares?
MANRIQUE   ¿Quieres que te lo diga?
LEONOR   Sí, lo quiero.
MANRIQUE   Ningún temor real, nada que pueda
            hacerte a ti infeliz ni entristecerte   170
            causa mi turbación... mi madre un día
            me contó cierta historia, triste, horrible,
            que no puedes saber, y desde entonces
            como un espectro me persigue eterna
            una imagen atroz... no lo creyeras,   175
            y a contártelo yo te estremecieras.
LEONOR   Pero...
MANRIQUE   No temas, no; tan sólo ha sido
            un sueño, una ilusión, pero horrorosa...
            un sudor frío aún[10] por mi frente corre.
            Soñaba yo que en silenciosa noche   180
            cerca de la laguna que el pie besa
            del alto Castellar contigo estaba.
            Todo en calma yacía; algún gemido
            melancólico y triste
            sólo llegaba lúgubre a mi oído.   185
            Trémulo como el viento en la laguna
            triste brillaba el resplandor siniestro
            de amarillenta luna.
            Sentado allí en su orilla y a tu lado
            pulsaba yo el laúd, y en dulce trova[11]   190
            tu belleza y mi amor tierno cantaba,
            y en triste melodía

---

[10] En Ms. se omite «aún». En M. 66 «que aún».
[11] *trova:* canción amorosa, compuesta o cantada por los trovadores.

el viento que en las aguas murmuraba
mi canto y tus suspiros repetía.
Mas súbito, azaroso, de las aguas   195
entre el turbio vapor, cruzó luciente
relámpago de luz que hirió un instante
con brillo melancólico tu frente.
Yo vi un espectro que en la opuesta orilla
como ilusión fantástica vagaba   200
con paso misterioso,
y un quejido lanzando lastimoso
que el nocturno silencio interrumpía,
ya triste nos miraba,
ya con rostro infernal se sonreía.   205
De pronto el huracán cien y cien truenos
retemblando sacude,
y mil rayos cruzaron,
y el suelo y las montañas
a su estampido horrísono temblaron.   210
Y envuelta en humo la feroz fantasma [12]
huyó, los brazos hacia mí tendiendo:
«¡Véngame!» dijo, y se lanzó a las nubes:
«¡Véngame!» por los aires repitiendo.
Frío con el pavor tendí mis brazos   215
adonde estabas tú... tú ya no estabas,
y sólo hallé a mi lado
un esqueleto, y al tocarle osado
en polvo se deshizo, que violento
llevóse al punto retronando el viento.   220
Yo desperté azorado; mi cabeza
hecha estaba un volcán, turbios mis ojos;
mas logro verte al fin, tierna, apacible,
y tu sonrisa calma mis enojos.

LEONOR   Y un sueño solamente   225
                ¿te atemoriza así?

MANRIQUE   No, ya no tiemblo,

_____
[12] *fantasma*: aunque está usada como femenino la acepción aquí empleada se refiere a una visión quimérica, como la que ofrecen los sueños
o la imaginación acalorada. Normalmente, es masculino.

	ya todo lo olvidé... mira, esta noche	
	partiremos al fin de este castillo...	
	no quiero estar aquí.	
LEONOR	Temes acaso...	
MANRIQUE	Tiemblo perderte: numerosa hueste	230
	del rey usurpador viene a sitiarnos,	
	y este castillo es débil con extremo;	
	nada temo por mí, mas por ti temo.	

ESCENA VII

LOS MISMOS. RUIZ.

MANRIQUE	¿Qué me vienes a anunciar?	
RUIZ	Señor, ya el conde marchando	235
	con la gente de su bando	
	se dirige a Castellar.	
	Todo lo lleva a cuchillo	
	y por los montes avanza,	
	sin duda con la esperanza	240
	de poner cerco al castillo.	
MANRIQUE	No osarán, que son traidores,	
	y es cobarde la traición.	
RUIZ	Estas las noticias son	
	que traen nuestros corredores.	245
	Demás [13] por lo que advirtieron,	
	añaden que esta mañana	
	han cogido a una gitana	
	que venir hacia acá vieron.	
MANRIQUE	¿Una gitana...? ¿Y quién era?	250
RUIZ	¡Quién puede saberlo...! Pues...	
MANRIQUE	¡Cielos!	
RUIZ	Vieja dicen que es,	
	con sus puntas de hechicera.	
MANRIQUE	(Es ella... y ¿podré salvarla...?)	
	Avisa que a partir vamos...	255

---

[13] *demás:* arcaísmo, además.

LEONOR	ármense todos... (corramos a lo menos a vengarla.)	
LEONOR	¿Qué dices...? Partir...	
MANRIQUE	Sí, sí...	
	¿Qué te detiene?	
RUIZ	Señor...	
MANRIQUE	Pronto, o teme mi furor.	260
LEONOR	¿Y me dejarás aquí?	

ESCENA VIII

MANRIQUE [14]. LEONOR.

MANRIQUE	Un secreto, Leonor... Sé que vas a despreciarme; ya era tiempo... esa gitana, esa, Leonor, es mi madre.	265
LEONOR	¡Tu madre!	
MANRIQUE	Llora si quieres, maldíceme porque infame uní tu orgullosa cuna con mi cuna miserable. Pero déjame que vaya a salvarla si no es tarde; si ha muerto, la vengaré de su asesino cobarde.	270
LEONOR	¡Esto [15] me faltaba...!	
MANRIQUE	Sí; yo no debía engañarte por más tiempo... vete, vete: soy un hombre despreciable.	275
LEONOR	Nunca para mí.	
MANRIQUE	Eres noble, y yo, ¿quién soy? Ya lo sabes. Vete a encerrar con tu orgullo	280

[14] En M. 66 «DON MANRIQUE».
[15] En M. 66 «eso».

	bajo el techo de tus padres.
LEONOR	¡Con mi orgullo! Tú te gozas,
	cruel, en atormentarme.
	Ten piedad...
MANRIQUE	Pero soy libre
	y fuerte para vengarme...
	y me vengaré... ¿lo dudas?
LEONOR	Si necesitas mi sangre
	aquí la tienes.
MANRIQUE	¡Leonor!
	¡Qué desgraciada en amarme
	has sido! ¿Por qué, infeliz,
	mis amores escuchaste?
	Y ¿no me aborreces?
LEONOR	No.
MANRIQUE	¿Sabes que presa mi madre
	espera tal vez la muerte?
	¡Venganza infame y cobarde!
	¿Qué espero yo...?
LEONOR	Ven... no vayas...
	mira, el corazón me late
	y fatídico me anuncia
	tu muerte.
MANRIQUE	¡Llanto cobarde!
	Por una madre morir,
	Leonor, es muerte envidiable.
	¿Quisieras tú que temblando
	viera derramar su sangre,
	o si salvarla pudiera
	por salvarla no lidiase?
LEONOR	Pues bien, iré yo contigo;
	allí correré a abrazarte
	entre el horror y el estruendo
	del fratricida combate.
	Yo opondré mi pecho al hierro
	que tu vida amenazare;
	sí, y a falta de otro muro,
	muro será mi cadáver.
MANRIQUE	Ahora te conozco, ahora

Líneas: 285, 290, 295, 300, 305, 310

	te quiero más.	
LEONOR	Si tú partes	315
	iré contigo; la muerte	
	a tu lado ha de encontrarme.	
MANRIQUE	Venir tú... no; en el castillo	
	queda custodia bastante	
	para ti... ¿escuchas? Adiós.	320

(*Suena un clarín*[16].)

	El clarín llama al combate.	
LEONOR	Un momento...	
MANRIQUE	Ya no puedo	
	detenerme ni un instante.	

ESCENA IX

LEONOR.

Manrique, espera... Partió
sin escucharme... ¡inhumano!   325
¿Por qué con delirio insano
mi corazón le adoró?
Y ¿es este tu amor? ¡Ay! Ven...
no burles así tu suerte,
que allí te espera la muerte,   330
y está en mis brazos tu bien.
Ya no escuchas el clamor
de aquella Leonor querida...(*Vuelve a sonar el
clarín*[17].)

¡Gran Dios!, protege su vida,
te lo pido por tu amor.   335

---

[16] En Ms. «(Clarín)».
[17] En ms. «(Clarín)».

JORNADA QUINTA
El Suplicio

ESCENA PRIMERA

Inmediaciones de Zaragoza; a la izquierda vista de uno de los muros del palacio de la Aljafería, con una ventana cerrada con una fuerte reja.

LEONOR. RUIZ.

RUIZ	Ya estamos en Zaragoza y es bien entrada la noche: nadie conoceros puede.	
LEONOR	Ruiz[1], ¿no es ésta la torre de la Aljafería?	
RUIZ	Sí.	5
LEONOR	¿Están aquí las prisiones?	
RUIZ	Ahí se suelen custodiar los que a su rey son traidores.	
LEONOR	¿Trajiste lo que te dije?	
RUIZ	Aquí está*: por un jarope[3] que no vale seis cornados[4]...	10

* Saca un pomo[2] de plata, que entrega a Leonor. [N. del autor.]

---

[1] En M. 66 «Rüiz».

[2] *pomo:* frasco o vaso pequeño de vidrio, cristal, porcelana o metal que sirve para contener y conservar los licores y confecciones olorosas.

[3] *jarope:* jarabe medicinal.

[4] *cornado:* moneda antigua de cobre con una cuarta parte de plata, que tenía grabada una corona y corrió en tiempo del rey Sancho IV de Castilla hasta los Reyes Católicos. Era de poco valor, de ahí la expresión popular «no vale un cornado».

177

LEONOR	El precio nada te importe.
	Toma esa cadena tú.
RUIZ	Judío al fin.
LEONOR	No te enojes.
RUIZ	Diez maravedís de plata[5]
	me llevó el Iscariote[6].
LEONOR	Vete, Ruiz[7].
RUIZ	¿Os quedáis
	sola aquí? No, que me ahorquen
	primero...
LEONOR	Quiero estar sola.
RUIZ	Si os empeñáis... buenas noches.

Line numbers: 15 (at "Diez maravedís de plata"), 20 (at "Si os empeñáis... buenas noches.")

ESCENA II

LEONOR.

LEONOR	Esa es la torre; allí está,
	y maldiciendo su suerte
	espera triste la muerte
	que no está lejos quizá.
	¡Esas murallas sombrías,
	esas rejas y esas puertas
	al féretro sólo abiertas,
	verán tus últimos días!
	¿Por qué tan ciega le[8] amé?
	¡Infeliz! ¿Por qué, Dios mío,
	con amante desvarío
	mi vida le[9] consagré?

Line numbers: 25 (at "¡Esas murallas sombrías,"), 30 (at "¡Infeliz! ¿Por qué, Dios mío,")

[5] *Maravedí de plata:* moneda antigua, cuyo valor era la tercera parte de un real de plata. El maravedí, que tuvo muy diferentes valores a lo largo del tiempo, empezó a acuñarse en España en el siglo XI. Era de origen almorávide.

[6] Nuevo toque antisemita. Judas vendió a Jesús por treinta monedas de plata. La mala fama de los judíos en el comercio y la usura está aquí perfectamente reflejada.

[7] En M. 66 «Rüiz».

[8] En Ms. «te».

[9] En Ms. «te».

```
                    Mi amor te perdió, mi amor...
                    yo mi cariño maldigo
                    pero moriré contigo                         35
                    con veneno abrasador.
                    ¡Si me quisiera escuchar
                    el conde...! Si yo lograra
                    librarte así, ¿qué importara...?
                    Sí, voy tu vida a salvar.                   40
                    A salvarte... no te asombre
                    si hoy olvido mi desdén.
DENTRO              Y hagan bien para hacer bien
UNA VOZ             por el alma de este hombre [10].
LEONOR              Ese lúgubre clamor...                       45
                    ¿o tal vez lo escuché mal?
                    No, no... ¡ya el hora [11] fatal
                    ha llegado, trovador!
                    ¡Manrique! Partamos ya,
                    no perdamos un instante.                    50
DENTRO              ¡Ay!
LEONOR                         Esa voz penetrante...
                    ¡Si no fuera tiempo ya!
                    (Al querer partir se oye tocar un laúd; un mo-
                    mento después canta dentro Manrique [12].)

                    Despacio viene la muerte,
                    que está sorda a mi clamor:
```

---

[10] Versos muy semejantes a la expresión que los cofrades madrileños de Paz y Caridad solían salmodiar por las calles pidiendo limosna para decir misas por el alma de los ajusticiados:«¡Para hacer bien por el alma del que van a ajusticiar!». Esta expresión la recoge Larra en su artículo «Un reo de muerte», *Revista Mensajero,* 30 de marzo de 1835 diciendo que «uno de nuestros amigos los acaba de poner atinadísimamente por estribillo a un trozo de poesía romántica». El poeta era Espronceda quien, en efecto, lo toma como estribillo de su poema «El reo de muerte», publicado en *El Español,* el 17 de enero de 1836, con el título provisional de «El reo en capilla». García Gutiérrez conocía, con seguridad, el estribillo y es posible que también hubiese escuchado la expresión por boca de algún cofrade.

[11] En M. 66 «la hora».

[12] En M. 66 «don Manrique».

	para quien morir desea	55
	despacio viene, por Dios.	
	¡Ay! Adiós, Leonor,	
	Leonor.	

LEONOR   Él es; ¡y desea morir
cuando su vida es mi vida!   60
¡Si así me viera, afligida,
por él al cielo pedir!

DENTRO MANRIQUE   No llores si a saber llegas
que me matan por traidor,
que el amarte es mi delito,   65
y en el amar no hay baldón.
¡Ay! Adiós, Leonor,
Leonor.

LEONOR   ¡Que no llore yo! ¡Cruel!
No sabe cuánto le quiero.   70
¡Que no llore, cuando muero
en mi juventud por él!
Si a esa reja te asomaras
y a Leonor vieras aquí,
tuvieras piedad de mí   75
y de mi amor no dudaras.
Aquí te buscan mis ojos,
a la luz de las estrellas
y oigo a par de tus querellas
el rumor de los cerrojos.   80
Y oigo en tu labio mi nombre
con mil suspiros también.

DENTRO LA VOZ   Hagan bien para hacer bien
por el alma de este hombre.

LEONOR   No, no morirás; yo iré   85
a salvarte: del tirano
feroz la sangrienta mano
con mi llanto bañaré.
¿Temes? Leonor te responde
de su cariño y virtud.   90

¿Aún dudas con inquietud?[13]   *(Apura el*
                                            pomo.)
Ya no puedo ser del conde.

ESCENA III

Cámara del CONDE DE LUNA; *éste estará sentado cerca de
una mesa, y* DON GUILLÉN *a su lado de pie*[14].

DON NUÑO. DON GUILLÉN.

NUÑO	¿Visteis, don Guillén, al reo?	
GUILLÉN	Dispuesto a morir está.	
NUÑO	¿Don Lope...?	
GUILLÉN	Presto vendrá.	95
NUÑO	Que al punto llegue deseo.	
	No quiero que se dilate	
	el suplicio ni un momento;	
	cada instante es un tormento	
	que mi impaciencia combate.	100
GUILLÉN	¿Le avisaré?	
NUÑO	No, esperad...	
	Tardar no puede en venir.	
	Para ayudarle a morir	
	a un religioso avisad.	
	Y despachaos con presteza.	105
GUILLÉN	¡El hijo de una gitana!	
NUÑO	Cierto, diligencia es vana.	
GUILLÉN	Mas, ¿no dais cuenta a Su Alteza?	
NUÑO	¿Para qué? Ocupado está	
	en la guerra de Valencia[15].	110

---

[13] En M. 66 «calma tu amante inquietud».

[14] En M. 66 la acotación aparece antes de «Escena III».

[15] Debe referirse el autor a los enfrentamientos de Murviedro (Sagun-
to) en frebrero de 1412 en los que las tropas de Fernando de Antequera
derrotaron a las del conde de Urgel con lo que, en la práctica, se zanjó la
cuestión. El derecho vendría muy poco después (24 de junio de ese año).

GUILLÉN	Si no aprueba la sentencia...
NUÑO	Yo sé que la aprobará.
	Para aterrar la traición
	puso en mi mano la ley...
	mientras aquí no esté el rey	115
	yo soy el rey de Aragón.
	Mas... ¿vuestra hermana?
GUILLÉN	Yo mismo
	nada de su suerte sé;
	pero encontrarla sabré
	aunque la oculte el abismo.	120
	Entonces su torpe amor
	lavará con sangre impura...
	Sólo así el honor se cura,
	y es muy sagrado el honor.
NUÑO	Ni tanto rigor es bien[16]	125
	emplear.
GUILLÉN	Mi ilustre cuna...
NUÑO	Si algo apreciais al de Luna,
	no la ofendáis, don Guillén.
GUILLÉN	¿Tenéis algo que mandar?
NUÑO	Dejadme solo un instante.	130

ESCENA IV

DON NUÑO. *Después* DON LOPE.

NUÑO	Leonor, al fin en tu amante
	tu desdén voy a vengar.
	Al fin en su sangre impura
	a saciar voy mi rencor:
	también yo puedo, Leonor,	135
	gozarme en tu desventura.
	Fatal tu hermosura ha sido
	para mí, pero fatal
	también será a mi rival,

---

[16] En M. 66 «No, tanto rigor no es bien».

	a ese rival tan querido.	140
	Tú lo quisiste; por él	
	mi ternura despreciaste...	
	¿Por qué, Leonor, no me amaste?	
	Yo no fuera tan cruel.	
	Ángel hermoso de amor,	145
	yo como a un Dios te adoraba,	
	y tus caricias gozaba	
	un oscuro trovador.	
	Harto la suerte envidié	
	de un rival afortunado;	150
	harto tiempo despreciado	
	su ventura contemplé.	
	¡Ah!, perdonarle quisiera...	
	no soy tan perverso yo.	
	Pero es mi rival... no, no...	155
	es necesario que muera.	
LOPE	Vuestras órdenes, señor,	
	se han cumplido; el reo espera	
	su sentencia.	
NUÑO	Y bien, que muera,	
	pues a su rey fue traidor.	160
	¿A qué aguardáis?	
LOPE	Si así os plugo [17]...	
NUÑO	¿No fue perjuro a la ley	
	y rebelde con su rey?	
	Pues bien, ¿qué espera el verdugo?	
	Esta noche ha de morir.	165
LOPE	¿Esta noche? ¡Pobre mozo!	
NUÑO	Junto al mismo calabozo...	
	¿entendéis? [18]	
LOPE	No hay más que decir [19].	
NUÑO	¿La bruja...?	
LOPE	Con él está	
	en su misma prisión.	

---

[17] *plugo:* forma arcaica de plació.
[18] En M. 66 «¿oís?».
[19] En M.36 y Ms. falta «que». Y así corregimos.

NUÑO	Bien.	170
LOPE	Pero, ¿ha de morir?	
NUÑO	También.	
LOPE	¿De qué muerte morirá?	
NUÑO	Como su madre, en la hoguera.	
LOPE	¡Por último confesó	
	que a vuestro hermano mató!	175
	¡Maldiga Dios la hechicera!	
NUÑO	Molesto, don Lope, estáis...	
	idos ya.	
LOPE	Señor, si pude	
	ofenderos...[20]	
NUÑO	No lo dude.	
LOPE	Mi deber...	
NUÑO	Es que os vayáis.	180

(Hace don Lope que se va, y vuelve.)

LOPE	Perdonad; se me olvidaba	
	con la maldita hechicera.	
NUÑO	¡Don Lope!	
LOPE	Señor, ahí fuera	
	una dama os aguardaba.	
NUÑO	¿Y qué objeto aquí la trae?	185
	¿Dice quién es?	
LOPE	Encubierta	
	llegó, señor a la puerta	
	que al Campo de Toro[21] cae.	
NUÑO	Que entre, pues: vos despejad.	
LOPE	El conde, señora, espera.	190
NUÑO	Vos os podéis quedar fuera,	
	y hasta que os llame, aguardad.	

---

[20] En M. 66, del verso 178 al 180 dice:

LOPE: Si os incomodo...
NUÑO: Quiero estar sólo.
LOPE: (¡Mal templado está!) Con todo...
NUÑO: ¿No os vais?

[21] *Campo de Toro:* la puerta que conducía al Campo de Toro era la del Portillo, cercana al palacio de la Aljafería. En el antiguo Campo de Toro se encuentra hoy el coso taurino de Zaragoza.

ESCENA V

DON NUÑO. LEONOR.

LEONOR	¿Me conocéis? *(Descubriéndose)*
NUÑO	¡Desgraciada!
	¿Qué buscáis, Leonor, aquí?
LEONOR	¿Me conocéis, conde?
NUÑO	Sí, 195
	por mi mal, desventurada,
	por mi mal te conocí.
	¿A qué viniste[22], Leonor?
LEONOR	Conde, ¿dudarlo queréis?
NUÑO	¡Todavía el trovador...! 200
LEONOR	Sé que todo lo podéis,
	y que peligra mi amor.
	Duélaos, don Nuño, mi mal.
NUÑO	¿A eso viniste[23], ingrata,
	a implorar por un rival? 205
	¡Por un rival! ¡insensata!
	mal conoces al de Artal.
	No, cuando en mis manos veo
	la venganza apetecida,
	cuando su sangre deseo... 210
	¡imposible...!
LEONOR	No lo creo.
NUÑO	Sí, creedlo por mi vida.
	Largo tiempo también yo
	aborrecido imploré
	a quien mis ruegos no oyó, 215
	y de mi afán se burló;

---

[22] En M. 66 «vinisteis».
[23] En Ms. y M. 66 «vinisteis».
[24] En M. 66 «conocéis».

	no pienses[25] que lo olvidé.	
LEONOR	¡Ah! conde, conde, piedad. (*Arrodillándose.*)	
NUÑO	¿La tuviste tú de mí[26]?	
LEONOR	¡Por todo un Dios!	
NUÑO	Apartad. .	220
LEONOR	No, no me muevo de aquí.	
NUÑO	Pronto, Leonor, acabad.	
LEONOR	Bien sabéis cuánto le amé;	
	mi pasión no se os esconde...	
NUÑO	¡Leonor!	
LEONOR	¿Qué he dicho? No sé,	225
	no sé lo que he dicho, conde:	
	¿queréis...? Le aborreceré.	
	¡Aborrecerle! ¡Dios mío!	
	y aún amaros a vos, sí,	
	amaros con desvarío	230
	os prometo...¡amor impío,	
	digno de vos y de mí!	
NUÑO	Es tarde, es tarde, Leonor.	
	¿Y yo perdonar pudiera	
	a tu infame seductor,	235
	al hijo de una hechicera?	
LEONOR	¿No os apiada mi dolor?	
NUÑO	¡Apiadarme! más y más	
	me irrita, Leonor, tu lloro,	
	que por él vertiendo estás:	240
	no lo negaré, aún te adoro;	
	mas ¿perdonarle? jamás.	
	Esta noche, en el momento...	
	nada de piedad.	
LEONOR	¡Cruel!(*Con ternura.*	
	¡Cuando en amarte consiento!	245
NUÑO	¿Qué me importa tu tormento,	
	si es por él sólo por él?	
LEONOR	Por él, don Nuño, es verdad;	
	por él con loca impiedad	

---

[25] En M. 66 «penséis».
[26] En M. 66 «Vos ¿la tuvisteis de mí?».

	el altar he profanado.	250
	¡Y yo, insensata, le he amado	
	con tan ciega liviandad!	
NUÑO	Un hombre oscuro...	
LEONOR	Sí, sí...	
	nunca mereció mi amor.	
NUÑO	Un soldado, un trovador...	255
LEONOR	Yo nunca os aborrecí.	
NUÑO	¿Qué quieres de mí, Leonor?	
	¿Por qué mi pasión enciendes,	
	que ya entibiándose va?	
	Di que engañarme pretendes,	260
	dime que de un Dios dependes,	
	y amarme no puedes ya.	
LEONOR	¿Qué importa, conde? ¿no fui	
	mil y mil veces perjura?	
	¿Qué importa, si ya vendí	265
	de un amante la ternura,	
	que a Dios olvide por ti?	
NUÑO	¿Me lo juras?	
LEONOR	Partiremos	
	lejos, lejos de Aragón,	
	do[27] felices viviremos,	270
	y siempre nos amaremos	
	con acendrada pasión.	
NUÑO	Leonor... ¡delicia inmortal!	
LEONOR	Y tú en premio a mi ternura...	
NUÑO	Cuanto quieras.	
LEONOR	¡Oh ventura!	275
NUÑO	Corre, dile que el de Artal	
	su libertad le asegura;	
	pero que huya de Aragón;	
	que no vuelva ¿lo has oído?	
LEONOR	Sí, sí...	
NUÑO	Dile que atrevido	280
	no persista en su traición,	
	que tu amor ponga en olvido.	

---

[27] En M. 66 «y» en lugar de «do».

LEONOR	Sí... lo diré...(¡Dios eterno!
	tu nombre bendeciré.)
NUÑO	Cuidad, que[28] os observaré. 285
LEONOR	(Ya no me aterra el infierno,
	pues que su vida salvé.)

ESCENA VI

Calabozo oscuro con una ventana con reja a la izquierda y una puerta en el mismo lado; otra ventana alta en el fondo, cerrada[29]. Debajo de la ventana, y en un escaño, estará recostada la[30] AZUCENA; *en el lado opuesto* MANRIQUE *sentado.*

MANRIQUE   ¿Dormís, madre mía?

AZUCENA   No; bastante lo he deseado; pero el sueño huye de mis ojos.

MANRIQUE   ¿Tenéis frío tal vez?

AZUCENA   No... te he oído suspirar a menudo... Ven aquí... ¿qué tienes? ¿Por qué no me confías todos tus padecimientos? ¿Por qué no los depositas en el seno de una madre? Porque yo soy tu madre, y te quiero como a mi vida.

MANRIQUE   ¡Mis padecimientos!

AZUCENA   He orado por ti toda la noche; es lo único que puedo hacer ya.

MANRIQUE   Descansad un momento.

AZUCENA   Yo quisiera escaparme de aquí, porque me sofoca el aire que aquí respiro... porque van a matarme. Pero tú me defenderás. Tú no consentirás que te roben a tu madre.

MANRIQUE   ¡Gran Dios!

AZUCENA   Pero estoy afligiéndote, ¿es verdad?

---

[28] En M. 66 «Mirad que».

[29] En Ms. se omite «otra ventana alta, en el fondo, cerrada» y añade «oscuro».

[30] En M. 66 se omite «la».

MANRIQUE No; decid, decid lo que queráis

AZUCENA Tú no podrás socorrerme; vendrán muchos contra ti, y tus fuerzas se agotarán; pero no temas por mí, yo estoy libre de su furor.

MANRIQUE ¿Vos?

AZUCENA Sí; los tiranos no mandan sobre el sepulcro, ni el verdugo puede martirizar una carne que no siente. Acércate... mira esta frente pálida; ¿no está pintada en ella la muerte?

MANRIQUE ¿Qué decís?

AZUCENA Sí, desde esta mañana he sentido que me abandonaban las fuerzas, que mis miembros se torcían: un velo de sangre ha ofuscado más de una vez mis ojos, y un zumbido espantoso ha resonado continuamente en mis oídos... se me figuraba que oía el llamamiento a la eternidad... ¡la eternidad! y yo[31] voy a salir de esta vida con el alma emponzoñada...

MANRIQUE Por favor...

AZUCENA Y van a matarme...

MANRIQUE ¿A mataros? y ¿por qué? ¡porque sois mi madre, y yo soy la causa de vuestra muerte! ¡madre mía, perdón!

AZUCENA No temas; ¿a qué llorar por mí? No, no tendrán el placer de tostarme como a mi madre: siento que mi vida se acaba por instantes, pero quisiera morir pronto. ¿No es verdad que se llenarán de rabia cuando vengan a buscar una víctima y encuentren un cadáver, menos que un cadáver... un esqueleto? ¡Ja... ja... ja...! Quisiera yo verlo para gozarme en su desesperación. Cuando vean mis ojos quebrados, cuando toquen mi mano seca y fría como el mármol...

MANRIQUE No me atormentéis, por piedad.

AZUCENA ¿Oyes? ¿oyes ese ruido? mátame... pronto, para que no me lleven a la hoguera. ¿Sabes tú qué tormento es el fuego?

MANRIQUE ¿Y tendrán valor?...

AZUCENA Sí; lo tuvieron para mi madre. Debe ser ho-

---

[31] En M. 66 «ya» en lugar de «yo».

rroroso ese tormento... ¡la hoguera! no sé qué tiene de feroz esa palabra, que me hiela... ¡la hoguera! y siempre la tengo delante, y siempre con sus llamas que queman, que quitan la vida con desesperados tormentos.

MANRIQUE   No más, no más.

AZUCENA   Me acuerdo de cuando achicharraron a tu abuela; iba cubierta de harapos, sus cabellos, negros como las alas del cuervo, ocultaban casi enteramente su rostro; yo, tendida en el suelo, arañando frenética mi rostro, había apartado mis ojos de aquel espectáculo, que no podía soportar; pero mi madre me llamó, y yo corrí hasta los pies del cadalso... los verdugos me rechazaron con aspereza, no me dejaron darla siquiera un beso, y la metieron en el fuego... Todavía retiembla en mi oído el acento de aquel grito desesperado que le arrancó el dolor... debe ser horrible, precisamente horrible, ese suplicio; aquel grito desentonado expresaba todos los tormentos de su cuerpo, y los verdugos se reían de sus visajes, porque la llama había quemado sus cabellos, y sus facciones contraídas, convulsas, y sus ojos desencajados, daban a su rostro una expresión infernal... ¡Y esto les hacía reír!

MANRIQUE   ¿No podéis olvidar todo eso? ¿Por qué no procuráis descansar?

AZUCENA   Sí, eso quería, pero... ¿y la hoguera? ¿y si durmiendo me llevan a la hoguera?

MANRIQUE   No, no vendrán.

AZUCENA   ¿Me lo prometes tú?

MANRIQUE   Os lo ofrezco, madre mía: podéis reposar un momento[32].

AZUCENA   Tengo mucha necesidad de dormir. ¡He estado despierta tanto tiempo! Dormiré, y luego nos iremos ¿qué razón hay para que no nos dejen ir? Cuando sea de día... pero aquí no se sabe cuándo es de día... aunque sea de noche, a cualquier hora, sí, porque quiero respirar; aquí me ahogo.

MANRIQUE   (¡Qué tormento!)

AZUCENA   Y correremos por la mañana, y tú cantarás;

---

[32] En Ms. «un rato».

mientras yo estaré durmiendo sin temor a esos verdugos, ni a ese suplicio de fuego.

MANRIQUE   Descansad.

AZUCENA   Voy... pero calla... calla... (*Se queda dormida.*)
(*Un momento de silencio.*)

MANRIQUE   Duerme, duerme, madre mía,
          mientras yo te guardo el sueño,
          y un porvenir más risueño   290
          durmiendo allá te sonría.
          Al menos, ¡ay! mientras dura
          tu sueño, no acongojado
          veré tu rostro bañado
          con lágrimas de amargura.   295

ESCENA VII

MANRIQUE[33]. LEONOR. AZUCENA.

LEONOR   ¡Manrique!

MANRIQUE   ¿No es ilusión?
          ¿eres tú?

LEONOR   Yo, sí... yo soy;
          a tu lado al fin estoy
          para calmar tu aflicción.

MANRIQUE   Sí, tú sola mi delirio   300
          puedes, hermosa, calmar:
          ven, Leonor, a consolar
          amorosa mi martirio.

LEONOR   No pierdas tiempo, por Dios...

MANRIQUE   Siéntate a mi lado, ven.   305
          ¿Debes tú morir también?
          Muramos juntos los dos.

LEONOR   No, que en libertad estás.

MANRIQUE   ¿En libertad?

LEONOR   Sí, ya el conde...

MANRIQUE   ¿Don Nuño, Leonor? ¡Responde,   310

---

[33] En M. 66 «DON MANRIQUE».

	responde... cielo! ¿esto más?	
	¡Tú a implorar por mi perdón	
	del tirano a los pies fuiste...!	
	Quizá también le vendiste	
	mi amor y tu corazón.	315
	No quiero la libertad	
	a tanta costa comprada.	
LEONOR	Tu vida...	
MANRIQUE	¿Que importa? nada...	
	quítamela, por piedad;	
	clava en mi pecho un puñal	320
	antes que verte perjura,	
	llena de amor y ternura	
	en los brazos de un rival.	
	¡La vida! ¿es algo la vida?	
	un doble martirio, un yugo...	325
	llama, que venga el verdugo	
	con el hacha enrojecida.	
LEONOR	¿Qué debí hacer? Si supieras	
	lo que he sufrido por ti	
	no me insultaras así,	330
	y a más me compadecieras.	
	Pero huye, vete, por Dios,	
	y bástete ya saber	
	que suya no puedo ser.	
MANRIQUE	Pues bien, partamos los dos;	335
	mi madre también vendrá.	
LEONOR	Tú solamente.	
MANRIQUE	No, no.	
LEONOR	Pronto, vete.	
MANRIQUE	¡Sólo yo!	
LEONOR	Que nos observan quizá.	
MANRIQUE	¿Qué importa? Aquí moriré,	340
	moriremos, ¡madre mía!	
	tú sola no fuiste impía	
	de un hijo tierno a la fe.	
LEONOR	¡Manrique!	
MANRIQUE	Ya no hay amor	
	en el mundo, no hay virtud.	345

LEONOR	¿Qué te dice mi inquietud?
MANRIQUE	Tarde conocí mi error.
LEONOR	¡Si vieras cuál se estremece

mi corazón! ¿por qué, di,
‘obstinarte? Hazlo por mí,   350
por lo que tu amor padece.
Sí, este momento quizá...
¿no ves cuál tiemblo? Quisiera
ocultarlo si pudiera;
pero no, no es tiempo ya.   355
Bien sé que voy tu aflicción
a aumentar, pero ya es hora
de que sepas cuál te adora
la que acusas sin razón.
Aborréceme, es mi suerte;   360
maldíceme si te agrada,
mas toca mi frente helada
con el hielo de la muerte.
Tócala, y si hay en tu seno
un resto de compasión.   365
alivia mi corazón,
que abrasa un voraz veneno.

MANRIQUE ¡Un veneno...! ¿Y es verdad?
y yo ingrato la ofendí
cuando muriendo por mí...   370
un veneno...

LEONOR   Por piedad,
ven aquí por compasión
a consolar mi agonía:
¿no sabes que te quería
con todo mi corazón?   375

MANRIQUE Me matas.

LEONOR   Manrique, aquí,
aquí me siento abrasar.
¡Ay! ¡ay! quisiera llorar,
y no hay lágrimas en mí[34].

---

[34] El tema de querer llorar y no tener lágrimas es típicamente romántico. Lo encontramos, por ejemplo, en Espronceda:

	¡Ay juventud malograda,	380
	por tiranos perseguida!	
	¡perder tan pronto una vida	
	para amarte consagrada!	
	(Se ve brillar un momento el resplandor de una luz en la ventana de la izquierda.)[35]	
	Mira, Manrique, esa luz...	
	vienen a buscarte ya:	385
	no te apartes, ven acá,	
	por el que murió en la cruz.	
MANRIQUE	Que vengan... ya entregaré	
	mi cuello sin resistir:	
	lo quiero, anhelo morir...	390
	muy pronto te seguiré.	
LEONOR	¡Ay! acércate...	
MANRIQUE	¡Amor mío...!	
LEONOR	Me muero, me muero ya	
	sin remedio; ¿dónde está	
	tu mano?	
MANRIQUE	¡Qué horrible frío!	395
LEONOR	Para siempre... ya...	
MANRIQUE	¡Leonor!	
LEONOR	¡Adiós...! ¡adi...ós...!	
	(Expira; un momento de pausa.)	
MANRIQUE	¡La he perdido!	
	¡Ese lúgubre gemido...!	
	es el último de amor.	
	Silencio, silencio; ya	400
	viene el verdugo por mí...	

¡Oh Teresa! ¡Oh dolor! Lágrimas mías,
¡ah!, ¿dónde estáis que no corréis a mares?
¿Por qué, por qué como en mejores días
no consoláis vosotras mis pesares?
¡Oh!, los que no sabéis las agonías
de un corazón que penas a millares,
¡ay!, desgarraron, y que ya no llora,
¡piedad tened de mi tormento ahora!

(El diablo mundo II, vv. 145-152)

[35] En Ms. se omite toda la acotación.

```
                    allí está el cadalso, allí,
                    y Leonor aquí está.
                    Corta es la distancia, vamos,
                    que ya el suplicio me espera.              405
                    (Tropieza con la³⁶ Azucena.)
AZUCENA             ¿Quién estaba aquí? ¿quién era?³⁷
                    ¿Es hora de que partamos? (Entre sueños.)
MANRIQUE            ¿A morir? Dispuesto estoy...
                    mas no, esperad un instante:
                    a contemplar su semblante,                 410
                    a adorarla otra vez voy.
                    Aquí está... dadme el laúd;
                    en trova triste y llorosa,
                    en endecha³⁸ lastimosa
                    os cantaré su virtud.                      415
                    Una corona de flores
                    dadme también; en su frente
                    será aureola luciente,
                    será diadema de amores.
                    Dadme, veréisla brillar                    420
                    en su frente hermosa y pura;
                    mas llorad su desventura
                    como a mí me veis llorar.
                    ¡Qué funesto resplandor!
                    ¿tan pronto vienen por mí?                 425
                    El verdugo es aquél... sí:
                    tiene el rostro de traidor.
```

---

³⁶ En Ms. se omite «la».
³⁷ Aunque en todas las ediciones este verso se pone en boca de Manrique, parece lógico que sea dicho por Azucena. Así corregimos.
³⁸ *endecha:* canción triste y lamentable de carácter luctuoso.

ESCENA VIII

Los de la escena anterior. DON NUÑO. DON GUILLÉN. DON
LOPE, *y* SOLDADOS *con luces*[39].

NUÑO   ¿Leonor?

MANRIQUE   ¿Quién la llama? ¿por qué vienen
a apartarla de mí? La desdichada
ya a nadie puede amar. ¡Si yo pudiera   430
ocultarla a sus ojos!
(*La cubre con su ferreruelo*[40], *que tendrá
al lado*)

NUÑO   ¿Leonor?

MANRIQUE   Calla...
No turbes el silencio de la muerte.

NUÑO   ¿Dónde está Leonor?

MANRIQUE   ¿Dónde? Aquí estaba.
¿Venis a arrebatármela en la tumba?

NUÑO   ¿Ha muerto?

MANRIQUE   Sí... ya ha muerto.
(*Descubriendo el rostro pálido de Leonor.*)

GUILLERMO   ¡Quién... mi
[hermana!   435

MANRIQUE   Ya no palpita el corazón; sus ojos
ha cerrado la muerte despiadada.
Apartad esas luces; mi amargura
piadosos respetad... no me acordaba... (*A don
Nuño.*)
¡Sí, tú eres el verdugo! Acaso buscas   440
una víctima... ven... ya preparada
para la muerte está.

NUÑO   Llevadle al punto,
llevadle, digo, y su cabeza caiga.
(*Varios soldados rodean a Manrique*[41].)

---

[39] En Ms. «con hachas».
[40] *ferreruelo:* capa algo larga, con cuello y sin capucha.
[41] En M. 66 «don Manrique».

196

MANRIQUE   Muy pronto, sí...
NUÑO   Marchad...
MANRIQUE   ¡Qué miro! Vamos...
           (Reparando en la⁴² Azucena.)
           No le digáis, por Dios, a la cuitada   445
           que va su hijo a morir...¡madre infelice!
           Hasta la tumba, adiós... (Al salir.)

                     ESCENA IX

           LOS MISMOS, menos MANRIQUE

AZUCENA   ¿Quién me
                      [llamaba? (incorporándose.)
           Él era, él era; ¡ingrato! se ha marchado
           sin llevarme también.
NUÑO   ¡Desventurada!
           Conoce al fin tu suerte.
AZUCENA   ¡El hijo mío!   450
NUÑO   Ven a verle morir.
AZUCENA   ¿Qué dices? ¡Calla!
           ¡Morir! ¡morir...! no, madre, yo no puedo;
           perdóname, le quiero con el alma.
           Esperad, esperad...
NUÑO   Llevadla.
AZUCENA   ¡Conde!
NUÑO   Que le mire expirar.
AZUCENA   Una palabra,   455
           un secreto terrible; haz que suspendan
           el suplicio un momento.
NUÑO   No, llevadla.
           (La toma por una mano, y la arrastra hasta
           la ventana.)
           Ven, mujer infernal... goza en tu triunfo.
           Mira el verdugo, y en su mano el hacha
           que va pronto a caer...

_____
⁴² En M. 66 se omite «la».

197

(Se oye un golpe, que figura ser el de la cuchilla.) [43]

AZUCENA	¡Ay! ¡esa sangre! 460
NUÑO	Alumbrad a la víctima, alumbradla.
AZUCENA	Sí, sí... luces... él es... ¡tu hermano, imbécil!
NUÑO	¡Mi hermano, maldición...!
	(La arroja al suelo empujándola con furor.)
AZUCENA	Ya estás vengada.

(Con un gesto de amargura, y expira.)

FIN

---

[43] En Ms. se omite toda esta acotación.